D1048719

ISBN 978-975-22-0237-5
2007 . 06 . Y . 0105 . 3358

1. bs. Ekim 2007
2. bs. Ekim 2007
3. bs. Ekim 2007
4. bs. Ekim 2007
5. bs. Ekim 2007
6. bs. Ekim 2007
7. bs. Ekim 2007
8. bs. Ekim 2007
9. bs. Ekim 2007
10. bs. Ekim 2007
11. bs. Ekim 2007
12. bs. Ekim 2007
13. bs. Ekim 2007
14. bs. Ekim 2007
15. bs. Ekim 2007
16. bs. Ekim 2007
17. bs. Ekim 2007
18. bs. Ekim 2007
19. bs. Ekim 2007
20. bs. Ekim 2007
21. bs. Ekim 2007
22. bs. Ekim 2007
23. bs. Ekim 2007
24. bs. Ekim 2007
25. bs. Ekim 2007
26. bs. Ekim 2007
27. bs. Ekim 2007
28. bs. Ekim 2007
29. bs. Ekim 2007
30. bs. Ekim 2007
31. bs. Ekim 2007
32. bs. Ekim 2007
33. bs. Ekim 2007
34. bs. Ekim 2007
35. bs. Ekim 2007
36. bs. Ekim 2007
37. bs. Ekim 2007
38. bs. Ekim 2007
39. bs. Ekim 2007
40. bs. Ekim 2007
41. bs. Ekim 2007
42. bs. Ekim 2007
43. bs. Ekim 2007
44. bs. Ekim 2007
45. bs. Ekim 2007
46. bs. Ekim 2007
47. bs. Ekim 2007
48. bs. Ekim 2007
49. bs. Ekim 2007

BİLGİ YAYINEVİ
Merkez: Meşrutiyet Cd., No: 46/A, Yenişehir 06420 / ANKARA
Tlf.: (0-312) 434 49 98 • Faks: (0-312) 431 77 58
Temsilcilik: İstiklâl Cd., Beyoğlu İş Mrk. No: 365, A Blok,
Kat: 1/133, Beyoğlu 80070 / İSTANBUL
Tlf.: (0-212) 244 16 51 - 244 16 53 • Faks: (0-212) 244 16 49

BİLGİ KİTABEVİ
Sakarya Cd., No: 8/A, Kızılay 06420 / ANKARA
Tlf.: (0-312) 434 41 06 • Faks: (0-312) 433 19 36

BİLGİ DAĞITIM
Merkez: Gülbahar Mh., Gülbağ Cd., No: 27/1, A-B Blok,
Gülbağ, Mecidiyeköy / İSTANBUL
Tlf.: (0-212) 217 63 40 - 44 • Faks: (0-212) 217 63 45
Şube: Narlıbahçe Sk., No: 17/1, Cağaloğlu 34360 / İSTANBUL
Tlf.: (0-212) 522 52 01 - 512 50 59 • Faks: (0-212) 527 41 19

www.bilgiyayinevi.com.tr • info@bilgiyayinevi.com.tr

EMİN ÇÖLAŞAN

KOVULDUK EY HALKIM UNUTMA BİZİ

"Bir Medya Belgeseli"

BİLGİ YAYINEVİ

kapak: murat sayın

baskı: cantekin matbaacılık
yayıncılık ticaret ltd. şti.
(0-312) 384 34 35 - 384 34 36

GİRİŞ

Ben kimim? Gazeteci olduğumu biliyorsunuz. Ama bu olayın başka, kişilikle ilgili boyutları da var. Bu kitapta anlatacaklarımı daha iyi değerlendirmek için önce bu soruya yanıt verip biraz kendimi tanıtmam gerekiyor.

Mücadeleci, ilkeleri ve inançları olan, ilkelerinden ödün vermeyen, çizgisi düz bir gazeteciyim. Haklıdan, güçsüzden yanayım. Haklı olduğum konularda ödün vermem, haksızlık yapmaktan, garibanı ezmekten, hava atmaktan kaçınırım. Haksız olursam, yanlış yaparsam özür dilemekten çekinmem.

Sözüm sözdür. Sorunları dostça çözmek isterim. Arkadan vuranlara, kalleşlik yapanlara, sözünde durmayanlara karşı çıkarım. Ne söyleyeceksem insanların yüzüne karşı söylerim.

Vatanı ve milleti satanlardan, egemenlere ve güçlülere yağcılık ve yalakalık yapanlardan, çıkar uğruna teslim bayrağı çekenlerden, korkup susanlardan, ikili oynayanlardan nefret ederim.

Bu huyları ve yapıyı ailemden aldığım anlaşılıyor. Babamın babası rahmetli baytar (veteriner) yüzbaşı **Emin**

Bey, **Abdülhamit** döneminde bir Fizan sürgünü idi. Fizan Afrika'da, Büyük Sahra'nın göbeğinde, bugün Libya sınırları içerisinde bulunan kuş uçmaz kervan geçmez bir yer. Dedem **Emin Bey** Halep'te görevli. O zaman veteriner hekim olmak, en az hekim olmak kadar değerli. Çünkü ordunun temel gücü, insan kadar binek ve yük hayvanlarına ve dolayısıyla onların sağlığına bağlı.

Dedem 1897 yılında **Abdülhamit** yönetimine karşı ilk kurulan cemiyeti, o günkü adıyla Osmanlı Terakki ve İttihat Cemiyeti'ni Halep'te kurup özgürlük çalışmalarını başlatıyor. Zamanın jurnalcilerinden hafiye mülazım (teğmen) **Mehmet Tevfik Efendi**, dedemi ve arkadaşlarını **Abdülhamit**'e ihbar ediyor.

Sorgulama ve yargılama başlıyor. Önce dedem ve arkadaşlarının Rodos adasına sürgün gitmelerine karar veriliyor. Fakat buradan kaçarlar diye Fizan'a sürülüyorlar ve 1908 yılında 2. Meşrutiyet ilan edilinceye kadar orada kalıyorlar. Büyük Sahra'yı aşıp Fizan'a deve kervanıyla gitmeleri bir felaket. Bir ayı aşkın sürede oraya varıyorlar. Çölde büyük susuzluk çekiyorlar. Dedemin çölde el yazısıyla bir Fransızca lügat üzerine ve umutsuzca yazdığı yazı halen evimizdedir:

"Şiddetli bir susuzluğa tutulduk. Bu da sevkimize memur olan Şeyh Ali ile devecilerin suikastı veya cehaletinden ileri geliyor. Baki (sonsuz) *iman."*

Çölü geçerken develerin çişini içiyorlar. Soyadımız **Çölaşan**, bu çölleri geçme olayından geliyor.

Dedem din açısından çok üst düzeyde bir insandı. Fizan'da yıllarını ibadetle geçiriyor. Yıllarca çektiği büyük ıstıraba bu manevi yolla dayanıyor.

Emin Bey'in tâbi olduğu mürşitleri vardı. Onlardan biri de **Hüsamettin Öztürk Hazretleri** idi. O da **Abdülhamit** tarafından Libya'ya sürülmüştü ve aynı yıllarda Trablus'ta sürgündü. **Hüsamettin Öztürk Hazretleri**'nin oğlu **Kâzım Öztürk**, bizim aile büyüğümüzdü ve din bilgini idi. 7 Şubat 1977 günü gazeteciliğe ilk adımı atacaktım. İzmir'de yaşayan **Kâzım Öztürk**'e bir mektup yazdım, başarılı olmam için hayırdualarını beklediğimi bildirdim. Kendisinden aldığım 8 Nisan 1977 tarihli ve üç sayfadan oluşan mektubu özetliyorum. Ayrıca bazı sözcükleri bugünkü dile aktarıyorum:

"Sevgili Emin'ciğim, 4 Şubat 1977 tarihli mektubuna cevap vermek bugüne kısmetmiş. Kusuruma bakma. Bizler formalitelerden uzak, birbirine kalben bağlı kimseleriz. Dededen toruna uzanan yolda hiçbir zaman ayrı düşmedik...

(Osmanlı'nın yok oluşunu anlattıktan sonra...) *Cenabı Hakk bir kavmi yok etmek isterse, o kavmin içinde dürüst kimselerin vücudunu kaldırır. Şayet bir kavmi felaketten kurtarmak isterse, o kavim içinde adil ve basiretli kumandanların vücudunu yaratır. İşte tam bu ortamda 'ümmetin kurtuluş ve birbirine sarılmasına ait hizmete **Mustafa Kemal** ismindeki zat manevi alanda seçildi ve görevlendirildi.'*

Bu arada vatanseverlerin bazısı babam gibi Trablusgarb'a, bazısı deden gibi Fizan'a sürüldü. Bunlar birer mücahit idi. ***Mustafa Kemal*** *de bu mücahitlerden biri idi. Babam (***Hüsamettin Öztürk Hazretleri***) bu değerli mücahit lidere 'Zatı-ı alileri manevi evladımızsınız. Gönlümüz bir mıknatıs ibresi gibi, nereye gitseniz sizi takip eder' demişti...*

Emin'ciğim, seninle iki satır dertleşelim derken sözü bir hayli uzattım. Bana (mektubunda) *'Dedemin yolunda olacağım' demiştin. Sana dedenin yolunu, kimlerle mücadele ettiğini kısaca yazdım.*

Senin kalemin yıkıcı değil, yapıcı olsun. Haksızı değil, haklıyı savunsun.

Milli hislerden uzak ve Mustafa Kemal'in yoluna aykırı düşmeyesin.

Bölücülük ve ayırıcılık, Tanrı'nın affetmediği üç günahtan biridir. Bunlardan sakın. Madem ki Cumhuriyet idaresini milletçe kabul etmişiz, bunun dışında herhangi bir rejime aklın ve gönlün kaysa bile halkı bu yolda yöneltmeye kalkma. Zira o takdirde büyük vebal altında kalmış, babamın ve dedenin uğrunda ıstırap çektikleri mücadele yolunu terk etmiş, nefsinin esareti altına girmiş olursun.

Sonra seni kim kurtarır, bilemem. Allah seni de, milletimizi de korusun.

Sevgili yavrum, burada yazıma son vereceğim. Sana yeni görevinde başarılar dilerim.

Senin ve Tansel kızımızın sevgi ile gözlerinizden öperim.

Hüdaya emanet olasınız sevgili evlatlarımız."

Mektup özetle böyle. Şimdi bir itirafta bulunacağım. Gazeteciliğe başlamadan birkaç gün önce, ailemizin manevi büyüğü **Kâzım Öztürk**'e mektup yazıp hayırduasını istediğimi biliyordum. Ancak kendisinin bana gönderdiği mektubu unutmuştum. 2007 yılında *Hürriyet*'ten kovulduğumda arşivimi temizlerken bu mektubu buldum ve yaklaşık 30 yıl sonra yeniden okudum.

Söyledikleri aynen çıkmıştı. Bana mektubunda ne yazdıysa, neler önerdiyse, gazetecilik yaşamımda aynen onları yapmış, o yolu izlemiştim. Hem de bilmeden, o mektubu unutmuş olarak!

***

Babamın babası Emin dedem vatan uğruna Fizan sürgünü. Hayatının belki de en güzel olması gereken gençlik yıllarını çileler ve ıstıraplarla Fizan çöllerinde sürgünde geçirdi. 1928 yılında vefat etti.

Annemin babası, dedem hukukçu **Refik Şevket İnce**, vatan millet yolunda ayrı bir mücahit. 1912 yılında Balkan Harbi'nde, tren kazasında bir kolu sakat kalıyor. 1920 yılında ilk Meclis'te Saruhan (Manisa) milletvekili. 1921 yılında **Atatürk**'ün Adalet Bakanı. Yılmak bilmeyen, vatan uğruna savaşan sivil kahramanlardan biri. İstiklal Mahkemelerinin kurucusu ve Kastamonu İstiklal Mahkemesi üyesi. Vatan elden giderken, İstiklal Mahkemeleri kurulup hainleri, casusları ve asker kaçaklarını yargılasın diye Meclis kürsüsünden haykırıyor. Başka çare kalmamış:

"...Efendiler, asacağız, keseceğiz, kesileceğiz. Ve ancak bu suretle muvaffak olacağız. Muvaffak olmak için de asacağız, keseceğiz ve kesileceğiz..."

Refik dedem sonraki yıllarda da –**Atatürk** döneminde– milletvekilliği yapıyor. 1950 yılında iktidara gelen Demokrat Parti'nin kurucularından biri. İlk **Menderes** hükümetinde Milli Savunma Bakanı. Fakat yıllarca birlikte olduğu **Menderes**'in gidişini beğenmiyor. **Menderes**'e yazdığı bir mektup elimde. Bu ibret belgesini özetliyorum:

"İstanbul. 1 Ağustos 1952. Muhterem Adnan Menderes Bey, bir siyasi partiye mensup olmak, mensupların hepsinin bütün ayrıntıya kadar tek bir düşünceye sahip olması demek olmadığını söylemeye gerek görmüyorum. Görüyorum ki siz, sizin gibi düşünmeyenlerin fikir açıklamalarına bile tahammül edemiyorsunuz ve bu tahammülsüzlüğünüzü uluorta her yerde gösteriyorsunuz...

Ben son tartışmalarımızın memleket hesabına ve demokrasi adına çok faydalar verdiğine ve vereceğine inanıyorum. Olan oldu. Ben ve siz kendi payımıza düşen dersleri aldık ve verdik...

Muhterem Adnan Bey, size eski bir arkadaş diliyle hitap ediyorum. Bugün çok kuvvetlisiniz. Sakın ona güvenerek icraatınızda keyfiliğe, baskıya ve hele intikam almaya kalkmayınız. Zira bunlar büyüklükle yan yana gelmez.

İktidarların yolunu sapıtınca uğrayacağı akıbet sizce de çok malumdur. Bu sözlerimde asla tehdit yoktur. Fakat sizi bu memleket hesabına lazım gördüğüm için bir uyarı var.

Memleket davalarında beraberliğin ancak karşılıklı sevgi ve saygı ile temin edilebileceğini bir defa daha söylememe müsaadenizi rica ederim. Herhangi bir kötü icraatınızla mücadele halinde bunun gizli kapaklı olmayacağını ve daima bildiğiniz karakterim ve hakkaniyet prensipleri dairesinde açık olacağını temin eder, saygılar sunarım."

***

1955 yılında vefat eden Refik dedem de bir mücadele adamı. En güçlü olduğu dönemde ülkenin başbakanı ile tartışmalara girmeyi ve partiden dışlanmayı göze almış. O mektubu yazmak kolay iş değil... Ve konumuzun dışında ama sonradan olacakları, 27 Mayıs ihtilaline giden yolu **Menderes**'e ilk gösteren ve uyaran siyasetçi.

Babam Prof. Dr. **Umran Emin Çölaşan**, Türkiye'de meteoroloji alanında uzmanlaşmış ilk kişi. 1960-1974 arasında 14 yıl Meteoroloji Genel Müdürü olarak görev yaptı. Nice iktidarlar, bakanlar, siyasetçiler gördü ve ilkelerinden bir gün olsun ödün vermedi. O kamu kuruluşuna siyaset sokmadı. Bütün baskılara direndi.

Tarım Bakanı rahmetli **Bahri Dağdaş**'la bir gün bizim evde yaptığı kavgayı unutmam. **Dağdaş** küçük bir memurun kendi seçim bölgesinden alınmasını istiyor. Memur CHP'li imiş. Babam direniyor. **Dağdaş** evimize gelip ısrar etti. Ben ODTÜ öğrencisiyim. Kapışmayı kapı aralığından dinliyorum. Babam bağırıyor, **Dağdaş** bağırıyor. Sonuçta memur yerinde kaldı.

Şimdi **Emin Çölaşan**'ın genlerini düşünün!

Emin dedem, Refik dedem, babam... Hepsi de mücadele adamı. Hiçbiri baş eğmemiş, ilkelerinden ödün vermemiş. Bir dedem vatan uğruna Afrika çöllerinde sürgünde yaşamış, öteki dedem **Atatürk**'ün yolunda vatan uğruna kelle koltukta çaba harcamış, İstiklal Madalyası sahibi olmuş... Babam Cumhuriyet döneminin yürekli, onurlu bürokratı. Korkmamışlar, yılmamışlar.

Bu kitapta anlatacaklarım daha iyi anlaşılsın, beni biraz daha iyi tanıyın diye bu bilgileri verdim.

AKP ÖNCESİNDE HÜRRİYET

Nasıl gazeteci olduğumu falan burada anlatmayacağım. O konuları *Önce İnsanım Sonra Gazeteci* isimli kitabımda anlatmıştım. Mesleğe 1977 yılında *Milliyet*'te ekonomi muhabiri olarak başladım. 1979 yılında **Aydın Doğan** *Milliyet*'i satın aldı ve patronum oldu. 1985 yılında *Hürriyet*'e girdim. Sahibi **Erol Simavi**. 1989'da köşe yazısı yazmaya başladım. Yazılar çok tuttu. Cesur, yürekli yazılar yazıyordum. Belgeleri konuşturuyor, iktidarları eleştiriyor, haksızlıkların ve yolsuzlukların üzerine gidiyordum.

Kısa süre sonra Türkiye'nin en çok okunan yazarları arasına girdim.

1994 yılında **Erol Bey**, *Hürriyet*'i **Aydın Doğan**'a sattı. **Aydın Bey** *Milliyet*'in sahibiydi. *Milliyet* benim ilk gazetemdi ve yeni patronumla orada tanışmıştık. *Milliyet* ayrıca **Aydın Doğan**'ın da sahibi olduğu ilk gazete idi. Böylece ikinci kez **Aydın Bey** benim patronum oluyordu. Ben de sağda solda espri yapıyordum:

"**Aydın Doğan** bensiz gazetecilik yapamayacağını gördü. 'Emin nerede ise ben oradayım. Emin hangi gazetede çalışırsa ben o gazeteyi ânında satın alırım' dedi ve *Hürriyet*'i bu yüzden aldı."

Hürriyet'te yıllarımız çok iyi geçti. Taa ki AKP iktidar olana kadar! Patron iyi adam. Hoşgörülü, mütevazı, şakacı... Çok düzgün bir ailesi var. Eşi saygın bir hanım. Dört kızı da öyle. Kızlar **Doğan Grubu**'nun çeşitli kurumlarının başında.

Fakat patronun eli *Milliyet*'te olduğu gibi burada da epeyce sıkı! Gazeteyi alır almaz ilk işi, çalışanları sendikadan istifa ettirmek oldu. Sendika tasfiye edildi.

Genel Yayın Yönetmeni **Ertuğrul Özkök**. Herkes gibi onunla da aramız çok iyi. İktidarları eleştiriyorum, iyi gazetecilik yapıyorum, onlar mutlu ben mutlu. Koalisyon hükümetleri döneminde patronun arası bir partiyle bozulursa, mutlaka öteki ile iyi oluyor ve bu yolla işleri aksamıyor. Dahası, gazetecilik dışında fazla yan işi yoktu ama giderek başka alanlara giriyor ve büyüyordu.

Gazetede itibarım çok yüksek.

Bu kitapta sadece AKP dönemini anlatacağım... Çünkü her şey o zaman başladı. Çok şeyler o zaman değişti. Türk basın tarihine geçecek kara olaylar AKP döneminde yaşandı.

AKP dönemine gelindiğinde **Aydın Doğan** çok büyümüştü. *Hürriyet, Milliyet, Radikal, Posta, Fanatik* ve *Gözcü* gazetelerinin sahibi oldu. Yazılı basının satış açısından yaklaşık yarısı!

Adına kartel, tekel denilen olay.

Ayrıca televizyon kanalları vardı.

2007 yılında **Aydın Doğan** *CNN-Türk, Kanal D, Star* televizyonlarının da sahibi.

Bunların dışında başta POAŞ, İstanbul Hilton ve arazisi, enerji ihaleleri, yurtdışı şirketler, özelleştirmeler olmak üzere bir sürü büyük iş... Büyüdükçe sorunları arttı. Başına vergi belaları açıldı...

Ve giderek yıprandı. Yıprandıkça, başına işler açıldıkça duygusallaştı.

Yayıncılık ve gazetecilik, patron açısından ikinci plana düştü. Öteki işler öne çıktı. Yayıncılık kendi çıkarları doğrultusunda kullanılmaya başlandı.

AKP gelene kadar, hatta geldikten bir süre sonrasında bile **Aydın Doğan**'la ilişkilerimiz çok iyiydi. Ne zaman bir yerde birlikte olsak tavla oynardık. Karşısına oturtur, iyi gelen zarına güvenip oynar, herkesin parasını alır, gömlek, kravat, ayakkabı kazanırdı.

2002 yılında AKP tek başına iktidar olana kadar *Hürriyet*'te hiç sorun yaşamadan çalıştım. *Hürriyet* ikinci evimdi ve mutluydum. İşimi heyecanla, zevkle yapıyordum. Mesleğime inanılmaz bir aşkla bağlıydım.

Bütün çalışanlarla aram çok iyiydi. Hiç kimseyle bu uzun süreç içerisinde tartışmadık, kapışmadık. Birbirimizi sevdik. Aramızda hep abi-kardeş ilişkisi oldu.

Yazılarımla *Hürriyet*'e on binlerce okuyucu kazandırmıştım ve yönetim bunu elbette biliyordu.

Gazetede (patron katında) dışlanmamıştım çünkü parasal çıkarları böylesine büyük değildi. Onlara zarar (!) vermiyordum. Benim yüzümden zor durumda kalmıyorlardı. Üzerlerinde kurulan siyasi baskı ve sonradan yaşamaya başladıkları korkular henüz yoktu.

Aramızda bir gün bile tartışma olmamış, AKP iktidarı ile başlayan sinir harbi yaşanmamıştı. Değer verilen bir insandım. Güzel veya anlamlı bir yazım çıktığında telefon veya mektupla kutlarlardı.

Hürriyet'te 7 Şubat 2002 tarihli yazımın başlığı "**25 Yıl**". Şöyle başlıyorum:

"Sevgili okuyucularım, bugün 7 Şubat 2002. Bu tarih benim için çok önemli... Çünkü bundan tam 25 yıl önce bugün, 7 Şubat 1977 günü Milliyet gazetesi Ankara bürosunda gazeteciliğe ilk adımımı atmıştım. Yani mesleğime o gün başlamıştım..."

Yazım çıktığı gün **Ertuğrul Özkök** odama çok güzel bir çiçek yolladı. Üzerinde yazı vardı:

"Sevgili Emin'ciğim, daha nice yıllar birlikte olmak umuduyla, daha nice büyük başarılara..."

Ertesi gün **Doğan Medya Grubu** Başkanı, patronun damadı **Mehmet Ali Yalçındağ**'dan çok duygulu bir mektup aldım:

"8 Şubat 2002. Sayın Emin Çölaşan, 25 yıl boyunca ilkelerini savunmak ve doğrularını izlemek, günümüz dünyasında bir insan için zor, bir gazeteci için ise daha da zor.

Bu yıllar boyunca meslek onurunu Grubumuzda tüm meslektaşlarınıza örnek olacak şekilde taşıdınız.

Birlikte çalışmaktan mutlu olduğum 'önce insan sonra gazeteciye' teşekkür ediyor, nice yıllara diyorum."

Mektupla birlikte **Yalçındağ**'dan bir de paket geldi. Açtım. İçinden iki adet çok şık biblo çıktı. Bir aslan, bir kartal. Telefonla teşekkür ettim.

"O ikisi sizin gazeteciliğinizi simgeliyor" dedi.

Kovulduktan sonra pek çok şeyle birlikte bu mektubu da düşündüm!

Herhalde AKP iktidarı sonrasında onlar değil, ben değişmiştim!.. Beş yıl önceki **Emin Çölaşan** değildim ve herhalde o yüzden kovulmuştum!

Bu bölümü uzatmayacağım. Çok güzel, mutlu, huzurlu günler yaşıyorduk. Türk basınının amiral gemisinde iyi gazetecilik yapıyorduk. Yazılarım belliydi. Her iktidarın yanlışlarını, yolsuzluklarını yazan, belgeleyen, haksızlıklara, yobazlara, din tüccarlarına ve din baronlarına karşı çıkan, amansızca eleştiren bir gazeteciydim. Yazılarıma hiç kimse karışmıyordu. Değil karışmak, onlardan övgü bile alıyordum.

Onlar da mutluydu, ben de.

Bundan sonra okuyacaklarınız, AKP döneminde olanlardır!

VE AKP GELDİ!

3 Kasım 2002 seçimleri yapıldı ve AKP tek başına iktidar oldu. Uzun süredir ilk kez tek parti iktidarı karşımızdaydı. Artık onların dediği dedikti. Her güç ve yetki onlardaydı. Laik rejim çiğneniyor, türban öne çıkarılıyor, Cumhuriyet kavramı tartışılıyor, ekonomide büyük patronlar her yola başvurularak devşiriliyor ve kendi adamları lehine büyük değişiklik sergileniyordu.

Ben eleştirmeyi sürdürüyordum. Yazılarımda sapma yoktu. Nasrettin Hoca fıkrası yazmıyor, olanları görmezden gelmiyordum.

***

24 Temmuz 2003. AKP iktidarı henüz sekiz aylık. Patrondan bugünkü tarihle ve durup dururken bir fırça mektubu geldi. Size aynen iletiyorum:

"Sevgili Emin. Çeyrek yüzyıla yakın bir süre tanışıklığımız ve arkadaşlığımız var. 25 yıllık gazete sahipliğim içerisinde 1986-1994 hariç hep senin patronun oldum. Ancak bu beraberlik sadece patron yazar ilişkisi içine hap-

solmadı. Alanını genişletti, arkadaşlık dostluk ilişkisini de içine aldı.

Birlikte zor ve engebeli dönemlerden geçtik. Birlikte çok mücadele verdik. Hepsi Türkiye içindi. Hepsi Atatürk'ün bize bıraktığı bu güzel mirası korumak, Anayasal düzeni muhafaza etmek, Türkiye'yi laik ve demokratik bir çerçevede tutmak içindi.

Senin de yakından bildiğin gibi bu yıllar kolay geçmedi. Senin yazılarından dolayı büyük kavgalar verdim ve bu kavgaları hiç yüksünmeden, patronluk ve arkadaşlık görevimin gereği olarak kabul ettim.

Tansu Çiller ve Refahyol zamanında siyasi iktidarın, senin yazıların ve Uğur'un programları nedeniyle bana neler yapmak istediklerini biliyorsun. Ben bu sırrımı hep içimde tuttum ve ancak onlar iktidardan ayrıldıktan sonra sizlere ve kamuoyuna açıkladım.

Her zaman, her yerde 'Emin Çölaşan ülkedeki her türlü vurgunun, soygunun üzerine gitmekten çekinmez, vurgunları, soygunları ortaya çıkarırken o soygunun arkasında kim olursa olsun, ister başbakan ister ekonomik güç odağı, isterse gazete sahibi olsun, Emin için hiç fark etmez' diye düşünürüm.

Bunlar benim samimi kanaatlerimdir. Çoğu zaman 'Keşke bu ülkede daha onlarca yüzlerce Emin Çölaşan olsa' diye düşündüm.

Bu mektubu yazma amacım, işte bu son cümledeki hissiyatımın emrivakisi oldu. Çünkü ben hâlâ 'Keşke bu ülkede onlarca, yüzlerce Emin Çölaşan olsa' diye düşünmeye devam etmek istiyorum. Ama son zamanlarda çev-

remde sık sık duymaya başladığım bazı sorgulamalar beni de etkilemeye başladı. Duyduğum bu sözler, beni patronluk değil ama arkadaşlık görevimi yerine getirmeye zorladı. Bu mektup işte bu görevin gereğidir diye kabul et.

Etrafımda konuşulanlar gelip hep şu soruda düğümleniyor:

Türkiye'yi 2001 krizine getiren Cumhuriyet tarihinin en büyük vurgunu olan bankacılık olaylarına Emin neden hiç değinmiyor?

Bu soru üzerinde uzun uzun düşündüm. Seni haklı çıkaracak gerekçeler aradım. Mesela kendi kendime şunu sordum: Acaba elinde belge yok da onun için mi? Ama ne yalan söyleyeyim, BDDK'nın yayımladığı son kitap bunun bir gerekçe değil, olsa olsa yazmamak için bahane olabileceği duygusunu getirdi bana.

Çünkü o kitap, devletin resmi belgeleri ve rakamları ile soygunu bütün açıklığı ile ortaya koyuyordu. Orada Karamehmet Grubu, Erol Aksoy Grubu, Dinç Bilgin, Turgay Ciner Grubu vs. vs. hepsinin neler yaptığı açıkça ortaya kondu. Senin meşhur ettiğin deyimle, kim ne kadar tokatladı diye rakamlar da vardi.

Çevremde bu sorular epey çoğalmaya başlayınca tabii benim de buna karşı savunmaya geçmem gerekti. Hem kendimi hem de seni savunmak için çareler aradım.

İtiraf edeyim benim kendimi savunmam çok kolay oluyor.

Çünkü bana 'Emin Bey bu vurgunları neden yazmıyor' diye sorulunca benim ikna edici cevabım hazır:

'Biz yazarlarımıza karışmayız, onlar istedikleri konuda yazarlar' diyorum ve kenara çekiliyorum.

Ama yine itiraf edeyim, seni savunmam o kadar kolay olmuyor.

Son günlerde bunlara ilaveten bir de Uzan olayı patladı. Adamlar şeytanın aklına gelmeyen sahtekârlıklar yapmışlar. Türk halkının 5 milyar dolarını soymuşlar. Ama halen Türkbükü'nde 60 metrelik özel yatlarına binmeye devam ediyorlar. Hem de insanları çıldırtırcasına bir de helikopterle gidip geliyorlar.

Türk medyası ve Türk halkı bu işi konuşuyor. Fakat bizim bütün soygunları ortaya çıkaran gazetecimiz Emin Çölaşan'dan çıt yok. İnan karşılaştığım bu eleştiriler ağrıma gidiyor.

Sevgili Emin;

Bugün denizde yüzerken iki önemli arkadaşım bana şu suali sordular. Bu soruyu soranların samimiyetinden ve kimliğinden kuşku duymaman için küçük bir de ayrıntı vereyim. Her ikisi de uzun yıllar devlete hizmet etmiş, sapına kadar laik, çağdaş ve Türkiye âşığı insanlar. Her ikisi de senin yazılarını hiç kaçırmayan kişiler.

Söyledikleri şu: 'Yahu Emin Çölaşan yıllardır İ. Melih'i yazar, onun fakir çocuklara dağıttığı 150 futbol topunu, İ. Melih belediye parası ile kendi propagandasını yapıyor diye mesele yapar. Şekerbank'ta çok küçük bir olayı günlerce yazdı durdu. Acaba banka hortumlamalarına neden hiç girmez? Star gazetesinden alıntı yapar da, sahiplerinin ülkeyi nasıl soyduğunu neden yazmaz anlayamadık' diyorlar.

Ne cevap vermem lazım sevgili Emin?

Gazetenin sahibi olduğum için son zamanlarda Marina'da, sokakta, her yerde bu sorulara muhatap oluyorum. Herkes 'Emin Bey soyguncularla hiç uğraşmıyor' diyor. Tabii cevap vermekte zorlanıyorum, 'Emin herhalde patron yalakalığı yapıyor derler, patron yazdırdı demesinler diye yazmıyordur' diyorum...

Ama haklı olarak o zaman İ. Melih, Şekerbank, hatta zaman zaman çok takıntılı konuları da patron yazdırıyor düşüncesine kapıldıklarını da söylüyorlar.

Evet Emin, 25 yıl sonra sana böyle bir mektup yazmak durumunda kaldım. Yukarda da belirttiğim gibi, lütfen bu sözlerimi patronun olarak değil, bir dost, bir ağabey ikazı olarak kabul et.

Gözlerinden öperim."

İlginç bir mektuptu. Beni yazdıklarımdan değil, yazmadıklarımdan sorumlu tutuyordu. Hem yazdıklarımdan hem de yazmadıklarımdan sorumlu tutulmayı bundan sonra da yaşayacaktım. Ortam yavaş yavaş geriliyordu. Ancak **Aydın Bey** bir konuda yanılıyordu.

Uzan ailesi hakkında çok yazı yazmıştım. Aile dört yazım için beni mahkemeye vermiş ve yargılanmıştım. İstanbul'da **Mustafa Kutluk** isimli bir hâkim, basın davalarında o zamana kadar görülmemiş bir hapis cezası verdi. Bu haber bütün gazetelerin manşetlerinde yer aldı.

Her yazıdan bir yıl net olmak üzere dört yıl net hapis!

Kararın gerekçesinde *"sanığın mahkememize karşı sergilediği tavır ve geçmişi dikkate alındığında ve bundan sonra suç işlemeyeceği kanaati mahkememizde oluşmadığından, cezada indirim yapılmasına yer olmadığı"* deniliyordu. Yargıtay bu saçma sapan kararı esastan bozdu ve beraat ettim.

Aydın Bey bunları herhalde unutmuştu! Bir şey daha var: Gazetelerinde belli konuları ısrarla yazan, patron sözcülüğü yapan adamları vardı. Bunlar talimatla yazı yazıp patronun çıkarlarını koruyor ve onun sözcülüğünü yapıyordu. Kamuoyunda onların adı "tetikçi" idi. Ben tetikçi olmayı hem içime sindiremezdim, hem de beceremezdim.

Ancak bu konuda benim elimi bağlayan çok önemli bir husus daha vardı ve patron bunu biliyordu. Karım **Tansel Çölaşan**, Danıştay Başkanvekili ve İdari Dava Daireleri Kurulu Başkanı idi. **Uzan** ailesi dahil bütün medya patronları, bankacılar ve işadamları tarafından açılan önemli davalar, son merci olarak Tansel'in başkanlığını yaptığı Kurul tarafından karara bağlanıyordu.

Şimdi buradaki manzarayı düşünün! Kocası gazeteci ve belli konuları yazıyor; karısı aynı konularda yargıda karar veriyor!

Belli konulara, bu engel nedeniyle, ne yazık ki istediğim ölçüde giremiyordum. Ve bunu Aydın Bey biliyordu...

***

Eylül 2003. Şu anda 10 aylık AKP dönemi var. Patron İstanbul'a çağırdı. Holding binasında buluştuk ve mektubundan sonra ilk sözlü fırçayı orada yedim. İlk uyarılar gelmeye başlamıştı. Bunu daha niceleri izleyecekti!

"Sen benim eski arkadaşımsın. Sana o sıfatla, patronun değil de bir abi olarak konuşacağım. Bir zamanlar **Uzan** ailesinin *Star* gazetesine geçecektin. Anlaşmaya varmıştın. *Akşam*'a da geçecektin. Transfer parası alacaktın."

"Aydın Bey bir dakika, bunların tamamı yalandır. *Star* adına **Fatih Çekirge** bana üç kez transfer teklif etti. Üçünü de reddettim. Para bile konuşmadım. Açın Fatih'e sorun. *Akşam* da öyle. Onlar da beni istedi ama kabul etmedim. Hiçbiriyle para konuşmadım. Gidecek olsaydım şimdiye kadar çoktan gitmiş olurdum."

"Peki gelelim öbür konulara... Yazılarında çok acımasız gidiyorsun. Hükümeti çok eleştiriyorsun. Bunlar sende takıntı oldu. Hep aynı konuları yazıyorsun. Kişisel kavganı benim gazetemde yapıyorsun. Bunu yaptırmam. Hakkında bir sürü dava açılıyor."

"Benim hangi kişisel kavgam var? Herkes hakkında herkes dava açıyor Aydın Bey. Şu anda bizim gazeteler ve televizyonlar hakkında açılmış neredeyse bin adet dava var."

"Yumuşak yaz. Senin yüzünden ben yara alıyorum. Çarmıha germe. Beni gereksiz yere hükümetle kavgaya sürüklemeye çalışıyorsun. Sana iki ay önce mektup yazıp uyardım."

"Ben aynı doğrultuda yazılar yazıyorum, sizi niye kavgaya yönelteyim ki!"

"Bak dinle beni, ekonomi iyi gidiyor. Ben özelleştirmeden yanayım. Bazı kaygılarım var ama bunlar olsa bile niye senin yüzünden durup dururken iktidarla kavga edeyim? Sen ve senin gibilerle mutabık değilim. Sonra başbakanın hanımından 'karı' diye söz ediyorsun yazında."

"Ben öyle bir şey yazmadım."

"Yazdın."

"Aydın Bey, yazmadım. Karı falan demedim. Eğer yazdıysam şimdi emir verin, benim yazımı bulup getirsinler. Ben de sizden burada özür dileyeyim."

"'Başbakanın karısı' diye yazdın."

"Ne var bunda?"

"Eşi diye yaz."

"Aman Aydın Bey, karı-koca olmak vardır Türkçede. Nikâh memuru insanlara 'Sizi karı-koca ilan ettim' demez mi? 'Başbakanın karısı' demek ayıp mı, çirkin mi?"

"Neyse Emin'ciğim, bu söylediklerimi iyi bil ve dikkatli ol. Benim başıma iş açma... Uzan ailesini yazmıyorsun, batık bankacıları, hortumcuları yazmıyorsun..."

"Aydın Bey, bu konuda elimin ne yazık ki bağlı olduğunu siz biliyorsunuz. Onların açtığı bütün davalar konusunda Tansel'in başında olduğu Kurul karar veriyor. Geçenlerde bir iktidar gazetesi manşet atmıştı 'Kocası yazıyor, karısı karar veriyor' diye. Doğru, bu konuda benim önümde bir engel var. Benim yıpranmam hiç önemli değil. Ama burada yargı benim yüzümden yıpranır. Bazen de bilmeden bir konuyu yazıyorum, sonra öğreniyorum ki o konu için meğer Danıştay'da dava varmış. Böyle olaylar yaşıyorum ben..."

Bu ilk sözlü fırça olmuştu. AKP iktidarının henüz 10. ayında idik. Demek ki Tayyip kesiminden patrona şikâyetler başlamıştı. Patronun mektubundan sonra ilk sözlü uyarıyı böyle almıştım.

İpler geriliyordu. Bundan sonra rahat bırakılmayacaktım. Ya ben değişecektim, kişiliğim ve yazılarım değişecekti ya da gereken neyse o yapılacaktı!

2003 yılı böyle geçti. Ertuğrul yazılarımla oynamaya başlamıştı. Her seferinde kavga ediyorduk. Arkadan vuruyordu. En hazmedemediğim olay buydu... Çünkü suyun başındaydı. Ben yazımı İstanbul'a geçtiğim anda onun önüne gidiyor, o da üzerinde bazen oynama yapıyordu. Durumu ertesi gün yazım gazetede çıktığında görüyordum.

Telefon açıp uyarıyordum. Bu yaptığının çok çirkin ve saygısızca bir davranış olduğunu söylüyordum. Bir daha yapmayacağı konusunda söz veriyor, yemin ediyordu. Bazen beni arıyor, hele yazımda Başbakan, Maliye Bakanı ve hükümete eleştiri varsa pazarlık yapıyordu... "Yav şu cümleyi çıkaralım, bu şöyle olsun, arkadaşının hatırını kırma, sana arkadaşça yalvarıyorum" gibi sözlerle gönlümü alıp beni razı etmeye çalışıyordu.

Bazısını kabul ediyordum, bazısını etmiyordum. Böyle tuhaf ve çirkin bir ilişkiye girmiştik... Ve bunlar gazetede –bildiğim kadarıyla– sadece bana yapılıyordu. Kol kırılıyor ama yen içinde kalıyordu. Kan kusuyordum, kızılcık şerbeti içtim diyordum. Ancak gelecekte olacaklar yanında bunların solda sıfır kalacağını o sırada bilemiyordum.

4 Ocak 2004 tarihli yazımın başlığı "**Köşe Yazarı**" idi. Köşe yazarlığını tanımlıyordum. Aşağıdaki bölümü bana haber vermeden makaslamıştı. Ertesi gün gazetede çıkmadı:

"Bizim gazetecilik mesleği giderek yozlaşıyor. İçimizde her düzeyde nice onurlu, ilkeli arkadaşımız var ve hepsi bu gidişe karşı çıkıyor.

Ama durdurmak mümkün değil. Birilerinin bir şeyleri silkelemesi gerekiyor. Fakat bunu kim, nasıl, ne zaman yapacak bilinmiyor. Bu gidiş bana bir atasözünü çağrıştırıyor:

Her koyun kendi bacağından asılır."

Çünkü bu sözler Ertuğrul'u rahatsız ediyordu. Bu kötüye gidişte, gazeteciliğin yozlaşmasında kendisinin büyük payı vardı.

***

28 Mart 2004 Pazar günü yerel seçimler yapılacak. Bizimkiler yine çok gergin. Beni de ellerinden gelse çiğ çiğ yiyecekler.

Şubat 2004. Ertuğrul Ankara'da. "Özel bir şeyler konuşalım" diye odama geldi. Limonlu çay söyledik ve konuşmaya başladı:

"Bak, **Doğan Medya Grubu**'nun bütün kuruluşları şu anda çok iyi gidiyor. Fakat hükümet isterse en sağlam kuruluşları, en sağlam bankaları bile bir günde batırır. Müfettiş gönderir, maliyeci gönderir, nasıl olsa bir eksik veya yanlış bulur. Şimdi senden ricam, iki-üç ay hükümetle ilgili bir şey yazma. Bu, **Aydın Bey**'in de ricasıdır."

"Yav Ertuğrul, tam seçim öncesindeyiz. Ne yazayım yani ben? Fıkra mı yazayım? Okuyucu beni tefe koyar. Bütün saygınlığımı yitiririm. Ayıp olur yani."

"O halde bir ay falan yazma."

"O da olmaz. Şimdi sen bana dürüstçe söyle. İktidar beni size şikâyet mi ediyor?"

"Evet."

"Kim?"

"Kim olduğunu tahmin edersin."

"Tayyip mi?"

"Yorum yok!"

"Peki başka kimleri şikâyet ediyorlar? Bekir de çok sert yazılar yazıyor. Ona var mı şikâyet?"

"Ona yok. O mizah üslubuyla yazdığı için kimse iplemiyor. (Bu konuşmayı aynı gün Bekir'e olduğu gibi anlattım.) Bak Emin, sen ve ben bu gazetenin en çok okunan iki yazarıyız. O yüzden hükümetin bütün okları ikimize çevriliyor."

"Oooo, sana da mı çevriliyor?"

"Ne zannettin?"

"Vay be!"

"Sen biraz frene bas. Keyfimize bakalım. Paramız iyi, maaşımız iyi, rahatımız yerinde, niye kendimizi sıkıntıya sokalım! Frenli gidersen, hükümeti eleştirmezsen hiç sorun kalmaz. Ayrıca **İ. Melih** yazma, **Mehmet Ali Birand**'ın dolandırıcılığını yazma, **Mehmet Barlas**'a liboş deme, medyayı eleştirme."

"Niçin eleştirmeyeyim medyayı? Şu olan kepazelikleri görmüyor musun? *Sabah*'ın hortumunu sen eleştirmiyor musun?"

"Yav medyanın yarısı biziz. Senin yazdığın her şey bize yöneliyor."

"Valla ben içimden geldiği gibi yazarım arkadaş, kusura bakma. Senin mesajlarını da aldım. Onları da dikkate alırım. Ama istersen, sizi sıkıntıya sokmamak için bir ay falan izne çıkayım. Seçim öncesinde rahat olun. Hükümetten, Tayyip'ten mayyipten laf yemeyin."

"O hiç olmaz. Sen benim söylediğim gibi yazarsan mesele zaten biter. Şimdi izne çıksan bin türlü laf çıkacak. Beni internet siteleriyle, okuyucunun tepkisiyle falan uğraştırma gözünü seveyim. Sen yazıları yumuşat. Zaten okuyucu da kavga istemiyor. Millet siyasetten bıktı artık."

"Okuyucu dedin de, ben her gün okuyuculardan gelen mesajların kâğıda çıktısını alırım. Bak burada binlercesi tomar halinde duruyor. Şunları bir oku bakalım. Zamanın yoksa güvendiğin birine okut. Siz *Hürriyet*'in okuyucu kitlesini tanımıyorsunuz. Ya da tanımak işinize gelmiyor. Bak, okuyucu neler yazıyor. Okuyucu senin gibi düşünmüyor."

Yine anlaşamadık! Frene basmamı istiyorlardı, bassam bile yetmiyordu. Gerilim sürüyordu.

***

9 Mart 2004 Salı gecesi. Ertuğrul evden aradı. "Ben yarın Ankara'da olacağım. Bekir, sen, ben ve Sedat (Ankara Temsilcisi **Sedat Ergin**) birlikte kahvaltıda buluşup konuşalım. Sabah 9.00'da otelde bekliyorum."

10 Mart Çarşamba sabahı Hilton'a gittim. Ertuğrul kral dairesinde kalıyormuş. Hayatımda ilk kez kral dairesi görüyorum. Dört kişilik kahvaltı sofrasına oturduk. Söze başladı:

"Bakın beyler, gazeteyi yazar okutmaz, haber okutur. Biz hiçbir şey değiliz. Önemli olan haberlerdir. En baba yazar gazeteden ayrılsa, tantanası bilemedin bir ay sürer ve unutulur. *Hürriyet*'i yönetmek Türkiye'yi yönetmekten çok daha zordur. Bu işin başında bugün ben varım. Ben aslında gazetecilik yapmıyorum burada biliyor musunuz!"

"Ya ne yapıyorsun?"

"Ben cambazım cambaz. Cambazlık yapıyorum. Siz bilmezsiniz, benim zamanımın ancak yüzde 20'si gazetecilikle geçiyor, yüzde 80'i cambazlıkla geçiyor. Benim karşımda patron var, kızları var, damadı var. Hangisine dert anlatacağımı şaşırıyorum. Yediğim fırçaların haddi hesabı yok. Şimdi Emin, sana gelelim... Bundan sonra bizim istediğimiz doğrultuda yazı yazacaksın. Takıntılardan arınacaksın. Hükümeti eleştiren yazıları daha az yazacaksın. Patronun da isteği aynen budur. Arkadaşların yanında sana bir daha iletiyorum. Senin yüzünden habire tazminat ödedik. Neredeyse 100 bin doları buldu."

Tepem atmıştı. Elimi masaya vurup bağırmaya başladım:

"Ulan bu konuyu temcit pilavı gibi benim karşıma getirip durmayın be!.. Gazetenin neredeyse her çalışanı hakkında açılmış bin tane dava var. Benimki mi size dert oluyor da hep aynı şeyi söylüyorsunuz! Tamam be, burada söz veriyorum... Yap bunun hesabını, maaşımdan kes. Ben bedava çalışacağım. Bir yıl mı, üç yıl mı, beş yıl mı, yemin ediyorum bedava çalışacağım. Artık bu konuyu getirmeyin karşıma be..."

"Sakin ol, sinirlenme. Burada arkadaş arkadaşa konuşuyoruz. (Bu aşamada Bekir ve Sedat beni savundular, haklı olduğumu söylediler. Bekir bir gece önce bir düğünde olduğunu, insanların orada bana nasıl övgüler düzdüğünü tek tek anlattı.) Tamam, bu **İ. Melih** yazılarını bırak. Adam seni patrona şikâyet edip duruyor. Hükümeti az yaz. Yazdıkça inandırıcılığını kaybediyorsun. Az eleştir. Beyler hiç merak etmeyin, biz bu iktidarla er veya geç papaz olacağız."

"Ne zaman olacağız? Olacaksak şimdi olalım!"

"Şimdi erken. Zamanı gelecek! Biz onlara dünyayı dar edeceğiz. Kimse merak etmesin."

"Peki neden korkuyorsunuz?"

"Korkacak bir şeyimiz yok! Dışbank (**Aydın Doğan**'ın daha sonra sattığı ve adı Fortis olan banka) taş gibi sağlam. Ama hükümet istesin, ânında yok eder. Patron onu satmayı düşünüyor. Zaten sattığı anda elimiz rahatlayacak ve hükümetle hiçbir işimiz kalmayacak. Yani insanlar gazetelerde muhalefet görmek istemiyor. Bakın, *Sabah* gazetesi hiç muhalefet yapmadığı halde tiraj alıyor. Satışı 400 bine çıktı. Demek ki millet muhalefet yapılmasını istemiyor. Beyler şunu da iyi bilin: Dünyanın hiçbir ülkesinde gazetenin yayın politikasına aykırı yazılar gazetede yer almaz. Ya hiç konulmaz ya sansür edilir."

"Bu âdetleri yeni çıkardınız galiba, AKP döneminde!"

"Yeni çıkarmadık ama bundan sonra böyle olacak. Ayrıca lütfen medyayı eleştiren yazılar yazmayın. Medyanın yarısı biziz. Hepimiz yara alıyoruz, biz yara alıyoruz. Öteki medya grupları bizden daha mı iyi yani? Emin, geçenlerde **Doğu Perinçek**'in dergisinden alıntı yaptın. Ben o yazıyı önceden okusaydım koymazdım. Ne yazık ki okumamıştım."

"Sakıncalı bir şey mi vardı o yazıda?"

"Yoktu ama kendisinden hoşlanmayız."

Konuşmalar böylece sürüp gitti. **Sedat Ergin** ve **Bekir Coşkun** bana sürekli destek verdiler. Ama değişecek bir şey yoktu.

Aynı gece. 10 Mart 2004 Çarşamba. **Aydın Bey** de Ankara'ya gelmiş. O gece ekibini Laila'da yemeğe götürecek. Hep birlikte yemek yedik. Bir ara kulağıma eğildi ve yarın sabah gazeteye gelip benimle konuşacağını, hem de tavla oynayacağını söyledi. Saat 10.00'da gazetede buluşacağız.

***

11 Mart 2004 Perşembe. 28 Mart günü yapılacak yerel seçimlere 17 gün kaldı. Siyaset iyice kızışmış durumda ama bugün benim için çok önemli. Bir şeyler olacağı belliydi de, acaba ne olacaktı!

Sabah gazeteye gittim. Benden 15 dakika sonra **Aydın Bey** doğrudan odama geldi ve "Seninle biraz konuşalım bakalım" dedi. Hemen konuya girdi:

"Ben senin hem arkadaşın, hem abin, hem de patronunum. Yıllardır birlikteyiz. Bugün seni biraz uyarmak istiyorum. Hükümeti çok eleştiriyorsun. Bunu yapmamanı senden defalarca rica ettik ama kabul etmedin. Haftada bir-iki eleştir. Sen akıllı adamsın, iyi gazetecisin, yıldız gazetecisin. Sen bunu yaparsın. Ekonomi iyi gidiyor. Döviz düşük. Niye bunları yazmıyorsun? Arada sırada hükümeti öv... Çünkü yazıların bizi sıkıntıya sokuyor."

"Aydın Bey, benim bildiğim kadarıyla bir gazeteci yalan yazarsa, yanlış yazarsa, toplumu aldatırsa, yazılarını kendi kişisel çıkarları doğrultusunda kullanırsa, ahlaksızlık yaparsa eleştirilir. Benim böyle olduğumu, bunları yaptığımı duydunuz mu bugüne kadar? Böyle bir kuşkunuz var mı?"

"Asla yok."

"Hükümeti öv diyorsunuz. *Hürriyet*'in neredeyse bütün sayfalarında hükümet övülüyor. Birkaç köşe yazarı dışında hep övgü var. O zaman bana övecek yeni bir şey kalmıyor ki. İzin verin de, eleştiren birileri olsun gazetede. Size beni hükümetten şikâyet ediyorlar değil mi?"

"Yooo ama rahatsız oluyorlar. Köşeni kişisel kavga aracı yaptın. Kan davasına döndürdün. Ama **Uzan**'ları hiç yazmadın. Hükümetin *Sabah* gazetesine sağladığı kıyakları hiç yazmadın."

"Aydın Bey onları yazan çok sayıda adamınız var, sayfalarınız onlarla dolu. Şimdi ben karşınızda öyle bir açmazdayım ki, hem yazdıklarımdan sorumlu tutuyorsunuz, hem de yazmadıklarımdan! Yani ben iki ateş arasında kalmış durumdayım! Tarihte hiçbir gazeteci herhalde bu duruma düşmemiştir. Kendimi hangi cepheden, hangi açıdan savunayım şimdi?"

"Başka şeyler de var. Sen **Uzan**'larla geçmişte anlaşma yapmışsın ama herifler batınca bu iş olmamış."

"Aydın Bey bu konuyu sizle daha önce de sorduğunuz için konuştuk. Böyle bir olay yok. Tamamen yalandır. Bunun tek tanığı bana *Star* gazetesi ve **Uzan** ailesi adına üç kez transfer teklif eden **Fatih Çekirge**'dir ve bir de yukarıdaki Allah'tır. Üçünü de reddettim ve bir gün olsun para pazarlığı yapmadım. Teşekkür ettim ve kafadan reddettim. Sorun bunları Fatih'e. Herhalde size dürüstçe anlatacaktır. Yani bu konuyu hep benim önüme sürüyorsunuz ve beni yalancı duruma düşürüyorsunuz. Beni üzüyorsunuz. Varsayalım transfer görüşmesi yaptım ve anlaşamadık, ne var bunda? Hepimiz profesyoneliz. Siz bugüne kadar kaç gazeteciyi transfer etmediniz mi? Eğer benim yaptığım bir anlaşma varsa çıkarın ortaya, sizden de herkesin önünde özür dileyeyim ve istifa edip gideyim. Ben daha ne diyeyim yani size! Bakın, birileri anladığım kadarıyla size benim hakkımda sürekli dolduruş yapıyor. Yalan söylüyorlar. Onlara inanmayın, bana sorun. Ben size yalan söylemem. Doğrusunu benden öğrenin ve bana güvenin. Bunca yıldır size bir üçkâğıt yapmadım, yalan söylemedim. Ne olur, bu transfer laflarını falan bırakın artık. Bir gün olsun bana sorunlarım olup olmadığını sorun. Siz bu gazetenin sahibisiniz. En çok okunan yazarınızla biraz ilgilenin!"

"Ne sorunun var? Para sorunun varsa vereyim. İstersen maaşına zam yapayım. Sonuçta sen yıldız gazetecisin."

"Ben sizden bugüne kadar hiç para istedim mi?"

"İstemedin."

"Ne verdinizse siz kendiliğinizden verdiniz. Bu hakkınızı da unutmam. Hakkınızı helal edin. Benim sorunum, yazılarım bana haber vermeden makaslanıyor."

"Eeee, makaslanır. Ertuğrul'un hakkıdır makaslamak."

"Ama şu AKP dönemine kadar hiç böyle şey olmamıştı. Gazetede birileri her gün **Rauf Denktaş**'a bindiriyor, Belçika'dan yazan biri Cumhuriyet rejimiyle, **Atatürk**'le alay ediyor ama onlara dokunan yok. Onlar aynen giriyor. Makaslanan tek yazar benim."

"Ben o yazıları okumam. Ben gazetelerimde çıkan çoğu yazıları okumam. Onun için ne yazdıklarını bilmiyorum."

"Hatırlıyor musunuz, *Hürriyet*'i aldığınız zaman bize topluca bir konuşma yapmıştınız. 'Ben Atatürkçü, milliyetçi adamım' demiştiniz. Şimdi sizin o ilkelerinizi gazetede birileri sürekli çiğniyor."

"Bak sana bir şey daha söyleyeyim. Geçenlerde topalın dergisinden alıntı yaptın köşende. Ben buna izin vermem."

"Topal kim?"

"**Doğu Perinçek.**"

"Evet, gayet normal bir alıntı idi. Alıntı her yerden yapılır."

"Bak sevgilim, sen bizim gazetenin en çok okunan yazarı idin. Ben bu konuda gizli araştırmalar yaptırırım. Bu takıntılı yazılarından sonra, artık en çok okunan değilsin."

"Aman Aydın Bey, dün Ertuğrul'a göstermiştim ama önemsemedi. Bakın şu bir hafta içerisinde okurlardan gelen binlerce mesaj işte şu yığında. Ne olur, merakınızdan şöyle bir göz atın hiç değilse. Ya da bunları size vereyim, İstanbul'a götürün ve güvendiğiniz birine okutun. *Hürriyet* okurları işte bu yığınlarda. Hepsi belgeli."

"Sen onları boşver. Türkiye'de birkaç yüz kişi vardır, habire mesaj gönderip gaz verirler, dolduruşa getirirler."

Yapacak, söyleyecek bir şey kalmamıştı. Anlaşamıyorduk. Ertuğrul'la hemen hemen aynı şeyleri söylemişti. Onları ikna etmem mümkün olmuyordu.

Aydın Bey kalktı. Benim odamın 10 metre ötesinde bizim "bar" dediğimiz çok güzel bir konuk salonu var. Zamanında **Erol Simavi**'nin karısı **Belma Simavi** bizzat gelip başında durarak yaptırmıştı. Çok zevkli, dört dörtlük bir konuk ağırlama yeri. Oraya girdik. Gazeteden ve **Doğan Grubu**'ndan başkaları da var. Herkes "acaba ne oldu" diye yüzümüze bakıyor.

Aydın Bey "Geç bakalım Emin tavlaya" dedi. Kafam zaten bozuk. İki partide de yenildim. Yemeğe oturduk. Kafamda kuruyorum. Bu olanlardan sonra ne yapmalıyım? Bir ara patrona, "Yemekten sonra benim odada biraz daha konuşabilir miyiz" dedim... "Tamamdır, kahveyi sende içeriz" dedi.

Odamda konuşmaya devam ettik. Aynı sözler yeniden karşıma çıktı.

"Aydın Bey ben düşündüm, şimdi seçim öncesinde sizi sıkıntıya sokmak istemem. Ben bir süre izin yapayım, siz de hiç değilse seçime kadar rahatlayın. Hükümet üzerinize gelmesin."

"Olmaz, çok dedikodu çıkar. Otur oturduğun yerde."

"Oturayım da, seçime kadar bu koşullarda ne yazacağım? Hem ben rahatsız olacağım, hem de siz. Ben zaten çok yoruldum, biraz izin yapayım."

"Peki o zaman, al karını da yanına, seni tatile göndereyim."

"Aman Aydın Bey, bu mevsimde bu mart soğuğunda nereye gidilir tatile! Ben Ankara'da olurum, her gün gazeteye gelirim. Sadece yazı yazmam."

"Sen bilirsin."

Aynı gün, 11 Mart Perşembe, oturup izin yazımı hazırladım... Ve yazıyı İstanbul'a geçtim. Geçtiğim ve bazı mesajlar verdiğim "**İzin Yazısı**" başlıklı yazı aynen şöyle:

"Sevgili okuyucularım, bir süredir epeyce yorgun düştüm. Biliyorsunuz, bizim işler bu dönemde epeyce yoğun ve mücadeleli geçiyor!

Bu işler kolay olmuyor.

Sizler için aklım, mantığım, gazetecilik birikimlerim ve yurt sevgim doğrultusunda her zaman en iyiyi ve en güzeli, hiç eğilip bükülmeden yazmaya çalıştım.

Belgeledim, sorular sordum, inandıklarımı yazdım.

Doğal olarak birilerini, bazı siyaset çevrelerini rahatsız ettim.

Bazen yalnız kaldım!

Bu süreç içerisinde pek çok duyguyu birarada yaşadım.

Sevindim, mutlu oldum, üzüldüm, gerildim, kırıldım, incindim...

Ve yoruldum.

Bu durumda ortamdan biraz uzak kalmak, biraz dinlenmek ve rahatlamak gerektiğini gördüm.

Bir süre sizlerle birlikte olmayacağım. Beni bağışlamanızı diliyorum.

Sizleri özleyeceğim.

Bilemem, belki sizler de beni özlersiniz.

Bir süre sonra yeniden birlikte olabilmek umuduyla şimdilik 'hoşça kalın sevgili okuyucularım' diyorum."

Yazıyı geçtim. Geçilen yazıyı bilgisayar sisteminden okuyan bizim bürodaki bütün muhabir arkadaşlar odama doluştu. Olayın büyüyeceğini ilk kez onların tavrından anladım.

Biraz sonra Yazıişleri Müdürümüz **Tufan Türenç** İstanbul'dan aradı.

"Aman Emin, çılgınlık yapma."

Başyazarımız **Oktay Ekşi** aradı:

"Temkinli ol."

Onlar da durumu biliyordu. Bir kez daha anlattım.

Akşam saat 17.00'de Ertuğrul aradı:

"Çok duygusal davranıyorsun. Bu yazıyı geri çek. Ne var yani bunları yazacak?"

Artık patlama aşamasına gelmiştim. Bağırmaya başladım:

"Sen ne konuşuyorsun yaa! Ben robot değilim. Beni Japonlar imal etmedi. Ben insanım. Elbette duygusal olurum. Şu benim yaşadıklarımın binde birini sen yaşasaydın ne yapardın? Şimdi senden tek ricam, geçtiğim yazı yarın aynen çıksın."

Ertesi gün, 12 Mart Cuma günü gazetede çıkan izin yazım kuşa çevrilmişti ve aynen şu kadardı:

"Sevgili okuyucularım, bir süredir epeyce yorgun düştüm.

Yoğun bir dönem geçirdik.

Bir süre sizlerle birikte olmayacağım. Beni bağışlamanızı diliyorum. Bir süre sonra yeniden birlikte olmak üzere şimdilik hoşça kalın."

Yazının bütün anlamı gitmişti ama anlayan herkes, neler olduğunu anlamıştı. Bizim Ankara bürosundaki arkadaşlardan biri odama geldi:

"Abi dün senin geçtiğin yazının orijinalini biz yarım saat önce çaktırmadan internet sitelerine verdik. Senden izinsiz yaptığımız için kusura bakma. Ama bunu yapmak zorundaydık."

Benim yazının orijinali ânında internet sitelerinde patladı. Oradan ajanslar ve televizyonlar alıntı yapmaya başladı. Telefonlar, yazılı mesajlar yağıyordu. Kitleler *Hürriyet*'e boykot çağrısı yapıyordu. Kıyamet kopmaya başlamıştı.

Vatan gazetesinin başındaki **Zafer Mutlu** aradı (*Vatan* o günlerde **Aydın Doğan** tarafından satın alınmamıştı):

"Kapımız sana açıktır, istediğin zaman gel burada başla."

Akşam gazetesinin Ankara Temsilcisi **Nuray Başaran** patronu **Mehmet Emin Karamehmet** adına arayıp hemen orada başlamamı istedi.

Bekir'le ikimizin asistanı Leyla'cık perişan. Telefon ve mesaj yüküyle baş etmesi mümkün olmuyor. *Hürriyet*'in İstanbul ve İzmir santrallarına sordum, onlar da bitik durumda. "Emin Bey ne çok seveniniz varmış, okuyucular protesto ediyor, biz mahvoluyoruz burada" diyorlar. Cumartesi ve pazar aynı tempoda geçti. Fakat olayın büyümesi ve esas patlaması pazartesiyi buldu.

Gazeteden bir arkadaş yanıma geldi:

"Abi benden duymuş olma, hem bizim santral hem de İstanbul santralı kilitlendi. Sistem çöktü. Santrallar çalışmıyor."

Gerçekten de öyleydi. Santral sistemi çökmüştü. Gazeteci arkadaşım **Hakan Akpınar** gazeteye bir demet beyaz gül gönderdi. Üzerinde bir yazı:

"Türk basınının kartalına."

Odama çiçekler yağıyor. Hiç tanımadığım bir okuyucu bir çift pırlantalı kol düğmesi gönderiyor. İnanılmaz olaylar yaşıyorum. Kıyamet kopuyor.

Genelkurmay Başkanı **Hilmi Özkök** aradı. Aleyhine epeyce yazılar yazdığım biriydi. "Size yapılanları kınıyoruz" dedi. Çok duygulandım.

CHP olayı sahiplendi. **Baykal** seçim öncesi mitinglerinde benim olayı anlatıyor, hükümetin basına yaptığı baskıları dile getiriyor. Bizimkiler **Baykal**'a daha da çok bozulmaya başlıyor.

İşin ilginç yanı, bütün medya benimle söyleşi yapma peşinde. Hiç kimseyle konuşmuyorum, tahrik etmiyorum, el altından haber sızdırmıyorum. Buna rağmen medya benimle dolu. Herkes *Hürriyet* yönetimini kınıyor.

Olanlar anlatılacak gibi değil. Türkiye'de yer yerinden oynuyor. Bir gazetecinin başına gelenler, toplumu ilk kez böylesine sallıyor. Bütün bunlar olurken **Aydın Doğan** Hindistan'da. Olanlara bire bir tanık olmuyor ama kesin biliyorum, bütün gelişmeler kendisine aktarılıyor.

Her gün gazetedeyim. Ertuğrul'dan hiç ses yok. Ama olanları benden daha iyi görüyor. (Bu arada boşluktan yararlanıp hayatımda ilk kez 14.00 matinesine sinemaya gittim!)

***

Bugün 17 Mart 2004 Çarşamba. Ertuğrul sabah erkenden aradı:

"Gazete yara alıyor. Artık yazmaya başla."

"Bunlar telefonla olacak işler değil. Gel Ankara'ya da yüz yüze konuşalım. Ben bıktım artık."

Öğle vakti gazeteye geldim. Odama Bekir girdi:

"Bak arkadaş, sen bu kavgayı kazandın. Ertuğrul sabah beni de aradı. 'Devreye sen gir, Emin'i ikna et' dedi. Bunlar derslerini aldılar. Kampanya giderek büyüyor. Şu kopan kıyamete bak. Bu sevgi selini yaşamak kaç gazeteciye nasip olur? Sen şimdi 28 Mart seçimine kadar beklersen, yazmazsan, bunlar diyecek ki 'Emin bizi özellikle bilinçli olarak yıpratmak istiyor.' Sen kazandın. Başla yazmaya."

Bekir benim için çok önemli bir insan. Dost, arkadaş, nice şeyleri paylaştığımız sırdaş. Onun sözleri ve fikirleri benim için önemli. Ertuğrul'u aradım:

"Ben Bekir'le de konuştum. Yazmaya başlayacağım."

***

Bugün 18 Mart 2004 Perşembe. Ertuğrul Ankara'ya geldi. Aynı konuları bir kez daha konuşmaya başladık. Yazılarımı makaslama olayına bir kez daha girdik. Tek başına başöğretmen edasıyla yaptığı makaslamaları kendisine tek tek gösterdim. Bazılarında ısrar etti, bazılarında hatasını kabul etti... Ve söz verdi! Bundan sonra yapmayacak!

Bu kaçıncı söz? Güvenim kalmadı.

Benden sonra Bekir'in odasına geçti. Sonradan Bekir anlattı. "Kaç gündür anam ağladı, ben böyle şey görmedim" demiş.

Ertesi gün, 19 Mart Cuma günü yazım çıktı.

Yine binlerce kutlama mesajı, odama gönderilen yüzlerce çiçek... Ve ben bu insanların hemen hiçbirini tanımıyorum. Onlar *Hürriyet* okuyucuları. Bizim yönetimin takmadığı, umursamadığı, dikkate almadığı kişiler.

Bizim sevgili Leyla'cık kaç gündür perişan olmuş, belki on kişinin yükünü tek başına omuzlamıştı. Sabah ona pasta getirdim, öptüm, kucakladım, teşekkür ettim.

Bugün 20 Mart 2004 cumartesi. Ertuğrul yine arkadan vuruyor. Bana günlerdir "Hemen yazmaya başla" diye ricalar eden Ertuğrul'un bugünkü yazısı ilginç! Başlığı "**Gazetecilik Egoizmi ve Mazoşizmi.**" Yazıda ismim geçmiyor ama bir gün sonra yine beni hedef alıyor. Bu kaçıncı ayıbı. Özetliyorum:

"Biliyorum, bu yazıyı oraya buraya çekmek isteyen kötü niyetli internet siteleri, işi gücü olmayan medya dedikoducuları çıkacak. Aklı başında, önyargısız herkese şunu bütün samimiyetimle belirtmek istiyorum. Bu yazımın hedefi ve konusu ne Hürriyet'te, ne de başka bir yerdeki bir gazetecidir. (Yerseniz!)

Türkiye'de iki meslek mensubu var ki, her gün yerden yere vuruluyor. Siyasetçiler ve gazeteciler. Ama gazetecilerin özel bir durumu var. Çünkü onlar kendi kendilerini yerden yere vuruyorlar. (Bana ısrarla yaptığı "medyayı eleştirme, işin ucu bize dokunuyor" uyarılarını anımsayınız!) *Ama en çok içerlediğim şey, gazetecilerin mazoşizmi ve egoizmi.*

Çünkü bazı meslektaşlarımız kendilerinin 'dürüst' olduğunu ispat etmek için, mesleğin tamamına etmedik laf bırakmıyor. (Her şeyi çarpıtıyor. Mesleğin tamamına laf eden hiç kimse yok. Biz meslekteki ahlaksızlara, iş bitiricilere, dolandırıcılara, sansürcülere, arkadan vuranlara, döneklere, Cumhuriyet düşmanlarına, din tüccarlarına karşı çıkıyoruz.) *Mehmet Barlas son günlerde çok güzel bir kampanya başlattı: İyi ki basın var.* (Övdüğü, örnek gösterdiği kişiye bakınız!)

Bazı arkadaşlarımız basının bu olumlu işlevini hiç görmeden ya inanılmaz bir mazoşizmle ya da sadece kendilerini aklamayı amaçlayan inanılmaz bir egoizmle mesleği yerden yere vuruyor.

Son zamanlarda bir de buna 'gazetecileri susturma' iddiaları (benim olayım) *eklendi.*

Burada da inanılmaz bir riyakârlık görüyorum.

Bazıları sadece kavga istiyor. Sadece kendi görüşleri aktarılsın, sadece hükümet yerden yere vurulsun istiyor."

Bu yazdıklarıyla AKP iktidarının gözüne girip aferin almayı amaçlıyor!.. Ve ricaları üzerine yazılarıma başlamışım, daha ilk günden bana arkadan vuruyor.

Şimdi bu aşamada çok önemli bir gerçeği açıklıyorum. (Bu olay bu kitapta bundan sonra sık sık karşınıza çıkacak.)

Mart 2004'te yaşadığımız olay sonrasında **Aydın Doğan** bana küstü. Küsme tarihi budur. Nedenini, suçumu (!) ve hatamı bugün bile anlayabilmiş değilim. Ötesini, bu tek taraflı küsme sonrasında neler olduğunu ve neler yaşandığını kitabın sonraki bölümlerinde izleyeceksiniz.

***

Bütün bunlar olurken, bu gerilimler yaşanırken karşıma bir olay daha çıktı. Bu kez **Fatih Altaylı** (o zaman *Hürriyet*'te idi), yazılarında bana bindirmeye başladı. Fatih arkadaşımdı. Ankara'ya her geldiğinde Emin abisinin yanına uğrar, laflardık. Fatih o sırada **Aydın Doğan** ve **Ertuğrul Özkök**'ün en yakınıydı.

Belli ki Fatih o yazıları **Aydın Doğan** ve Ertuğrul'dan aldığı havanın sonucunda yazıyordu.

Ben de kendisi için –cevaben– ağır bir yazı yazdım. Ertuğrul bu yazımı da makasladı. Telefon ettim:

"Aynı gazetenin iki yazarından biri, ötekine ağır yazılar yazıyor. Bunu ben yapsam yazıyı koymazdın. Nasıl izin veriyorsun buna?"

"Valla dün gece erken yatmıştım, onun yazısını görmedim."

"Maşallah, dünyanın öbür ucunda olsan, gece gündüz demeden benimkileri okuyorsun. İşine gelmeyenleri de erken yattığın için okumadığını iddia ediyorsun."

Altaylı olayının ayrıntılarına girmek istemiyorum çünkü konumuzla doğrudan bağlantılı değil. Sonra Fatih bir yazı yazdı ve özür diledi. Ancak benim 9 Nisan 2004 tarihinde kendisi için yazdığım **"Profil"** başlıklı yazı için tazminat davası açtı.

Türkiye'de bir ilk daha yaşanıyordu. Aynı gazetenin iki yazarı mahkemelik olmuştu. Ajanslara, internetlere, gazete ve televizyonlara düştük. Dava dilekçesi bana ulaştığında –daha medyanın haberi olmamışken– Ertuğrul'u aradım.

"Ertuğrul, ortada tuhaf bir durum var. Gazete olarak rezil oluruz. Zaten istediği 500 milyon para. Sen bu arkadaşla konuş, davasını geri çeksin."

Aldığım yanıt muhteşemdi!

"Valla herkes herkesi dava edebilir. Herkesin dava açma özgürlüğü var. Fatih dava açma özgürlüğünü kullanmış. Ben karışmam."

"Ertuğrul bana torunun üzerine yemin eder misin?.. Ben Fatih'i veya gazetede çalışan bir başkasını dava etseydim, bana da karışmaz mıydın?"

Hadise belliydi. Bana dava açılmasını onaylıyordu. Açtığı dava daha sonra reddedildi. Yani bir şey çıkmadı.

Ama bir vicdan borcu olarak şunu da belirteyim ki, **Fatih Altaylı** ben kovulduktan sonra gerek *gazeteport* isimli internet sitesindeki yazılarında, gerekse televizyon konuşmalarında bana çok büyük destek verdi... Çünkü bir zamanlar en yakın olduğu *Hürriyet* yönetimini ve Ertuğrul'un içyüzünü, *Hürriyet*'ten ayrıldıktan sonra çok daha iyi görmüş ve anlamıştı.

***

12 Kasım 2004 Cuma. Birkaç gün önce **Fethullah Gülen**'le ilgili bir yazı yazmıştım. Avukatı açıklama gönderdi, bugünkü yazımda o açıklamayı yayımladım. İstanbul'da oteldeyim. Ertuğrul otelden aradı:

"Yav gözünü seveyim, **Fethullah Gülen**'le, *Zaman* gazetesiyle ilgili bir şey yazma."

"Niçin? Bir şey mi oldu? Onlar da yasak kapsamına mı alındı?"

"Bu *Zaman* gazetesinin dağıtımını biz yapıyoruz. Her gün 500 bin gazetenin dağıtım parasını alıyoruz. Herifleri ürkütüp kaçırırsak *Sabah*'ın dağıtım şirketiyle anlaşırlar.

Çok büyük para kaybederiz. Senin anlayışına havale ediyorum."

"Eh yani, bu kadarına pes diyorum!"

"Lütfen bundan sonra bunlara dokunma."

"Yav Ertuğrul bir gün de iyi bir şey için ara. Bir gün de teşekkür et."

Sonraları *Zaman* gazetesini ziyaret etti, övgüler düzdü. Kendisine orada yakası kapalı özel **Fethullah Gülen** gömlekleri armağan ettiler. Bunları köşesinde yazdı. Pek mutlu olmuştu.

***

Ertuğrul'la aramız yazılarım açısından hiç düzelmiyor. Onun adamları, **Doğan Grubu**'nda maaşa bağlatıp önemli görevler verdiği **Mehmet Ali Birand, Cengiz Çandar, Ahmet Altan, Mehmet Barlas** gibiler...

Bugün 16 Kasım 2004. Önüme temcit pilavı gibi sürdüğü konuları yazısında bir kez daha dile getirmiş ve yine bana ve benim gibi düşünen köşe yazarlarına bulaşıyor. Özetliyorum:

"Gazetelerdeki bazı köşeler bana ölüm ilanları gibi geliyor. Türkiye'de bir köşe yazarı tipi var. Köşelerinin etrafına sanki görünmez birer kara çerçeve çizilmiş gibi. Bana ölüm ilanlarını hatırlatıyorlar.

Bu kara çerçeveli köşelerde iyimser bir tek cümleye bile rastlayamazsınız.

Kendilerinden ve üç-beş kişilik cemaatlerinden başka herkes hırsızdır, soyguncudur, mürtecidir, yalakadır, satılmıştır.

Dünyada temiz kalmış tek bölge, sandalyelerini attıkları o bir metrekarelik kurtarılmış bölgedir. Masalarının üzerinde duran abajurlardan ışık değil, karanlık hüzmeler iner.

Kuytularından hiç çıkmazlar. Farklı bir retinaları vardır. Gözleri sadece kötü olana fokus yapabilir...

Zaman zaman kara çerçeveli köşelerden, benim gibi düşünen insanlara salvo atışları geliyor. Yazdıklarımız onların kara çerçeveli sütunlarına sığmadığı için ne olduğunu anlamakta güçlük çekiyorlar...

İşte bu yüzden genç ve yeni gazetecilere seslenmek istiyorum.

Kara çerçeveli köşelerin etkisi altında kalmayın..."

Yolsuzluğun, hırsızlığın, din ticaretinin ve özellikle AKP iktidarının üzerine gitmek, bunları yapanları ve çanak tutan medyayı eleştirmek suç! Bizim suçumuz! Ben bazen medya yazısı yazınca çok bozulur, bu işin ucunun **Doğan Medya Grubu**'na dokunduğunu söyler, "Genel değil de, hiç değilse isim vererek yaz" diye nasihat ederdi! Nasihatlerini kendisi tutmuyor, isim vermeden yazdığı yazılarda bizlere çatıyordu...

Ve başta ben olmak üzere, bu doğrultuda yazdığımız ve milyonlarca insanın severek ve hayranlıkla okuduğu yazılarımızı böyle tuhaf benzetmelerle, laf cambazlığı ile çarpıtmaya kalkışıyordu... Çünkü AKP iktidarının hoşuna gitmek zorundaydı! Hükümetle arasını iyi tutmak zorundaydı.

Birkaç gün önce Bekir'in yazısının da başlığını değiştirmişti. Bekir çok bozuldu. Başlıkta "medya" sözcüğü geçiyormuş. "Medya" yazınca tüyler diken diken oluyor; çünkü ucu kendisine ve medyanın yaklaşık yarısını elinde bulunduran **Doğan Grubu**'na dokunuyor.

2004 yılının sonuna geldik. Bana küs olan **Aydın Doğan** artık Ankara'ya geldiğinde benim yüzümden *Hürriyet*'e uğramıyor. *Milliyet*'e gidiyor. Oysa hep bize gelirdi.

2004 yılı sonunda bizim Ankara bürosunda yılbaşı öncesi yeni yılı kutlama partisi verilecek. İlgili arkadaşlar o gece çekiliş düzenliyor. Çeşitli yerlerden gelen armağanlar çekilişe konuluyor. Akşamüstü bütün çalışanlar biraz içki içiyor, muhabbet ediliyor, çekiliş yapılıyor.

Büroda **Aydın Doğan**'ın da geleceği söylendi. Akşam salona girdiğimde **Aydın Bey** oradaydı. "Hoş geldiniz Aydın Bey" dedim ve eski alışkanlıkla hamle edip iki yanağından öptüm. Karşımda bir heykel vardı! Sadece soğuk bir "Hoş bulduk" dedi. Kendi kendime hayıflandım... "Ulan Emin ne halt etmeye kendini bu duruma düşürdün" dedim.

Sıra çekilişe geldi. Herkese bir numara vermişlerdi. Numaralar okunuyor ve arkadaşlar gidip kısmetlerini alıyor. Dağıtımı orada **Aydın Bey** yapıyor. Espriler yapıyor, şaka yapıyor, takılıyor. Bir ara bağırmaları duydum: "34 numara kimde? 34 nerede?" Cebimdeki markayı çıkarıp baktım, 34 bende. Çekiliş armağanını almaya **Aydın Bey**'in yanına gittim. Bana o andaki bakışını unutamam. Nefretle, kinle bakıyordu. Bana öyle geldiğini düşünmeyin. Gerçekten öyleydi. Bir kelime konuşmadık, kocaman bir kutuyu yanındakiler bana verdi.

İçinde müzikçalar olduğunu odamda paketi açınca gördüm. Tam o sırada odama eğitim muhabirimiz **Kâmuran Zeren** girdi ve seti çok beğendi. Ona verdim.

İşin ilginç yanı, **Aydın Bey** bu sıralarda Bekir'le de konuşmuyor. Ankara'ya Tayyip'le, Genelkurmay Başkanı ile konuşmaya geldiğinde güzel bir restoranda yemek verir, kalabalık bir grup halinde bizleri ağırlardı. Yemeklere Bekir'le ikimizi çağırmıyor. Tamamen dışlanmış durumdayız. Bekir de çok bozuk. Bir gün konuşuyoruz:

"Bekir, benim olayım üç aşağı beş yukarı belli de sana niye bozuk?"

"Ben bir üniversitede konuşma yaptım. Salon çok kalabalıktı. Medya patronlarına, medyanın bugünkü durumuna verdim veriştirdim. Konuşmama başlamadan önce birileri önüme bir sürü teyp koydular ve sesimi banda aldılar. Tahmin ediyorum o bantları İstanbul'a gönderdiler ve onları dinleyince veya haberi olunca bana da küstü."

Nelerle uğraşıyorduk!

Herkesten aynı şeyleri duyuyorum: "Gazeteniz tamamen AKP çizgisine girdi. *Hürriyet*'i siz ve Bekir Bey için alıyoruz."

Hem yazılı mesajlarda hem de nereye gitsem insanlardan övgü alıyorum. Geçmişte olsaydı buna sevinirdim. Şimdi ise bu sözleri duyunca mesleğim ve medya adına üzülüyorum. Niçin medyada aslanlar gibi mücadele veren çok sayıda köşe yazarı yok? Niçin çoğunluk yalaka oldu? Patronların çoğu niçin iktidardan bu kadar korkuyor?..

Fakat işin ilginç yanı, bu eleştiriler yakın çevresinden **Aydın Doğan**'a da geliyor. O da hep aynı şeyi söylüyor:

"Böyle diyorsunuz ama **Emin Çölaşan** *Hürriyet*'te yazmıyor mu? **Bekir Coşkun, Tufan Türenç** *Hürriyet*'te yazmıyor mu? Biz iktidar yandaşı olsak onlar yazabilir mi?"

Bir yanda bu rezaletleri yaşıyorum, öte yanda ise ismimi verip cankurtaran simidi olarak kullanıyorlar.

Bazen **Mehmet Barlas** hakkında da yazılar yazıyorum. Fakat o uyanıklık etti! Ne yazsam ertesi gün **Aydın Bey**'in ismini gündeme getirerek ve ona bindirerek bana yanıt veriyor. Bu durumda uyarı geldi:

"Bir daha **Mehmet Barlas** yazma lütfen!"

Mehmet Ali Birand bizimkilerin en makbul adamlarından biri. Dolandırıcılıktan hüküm giymiş, 11 ay 20 gün hapis cezası almış ve bu ceza Yargıtay tarafından onanıp kesinleşmişti. İkinci dolandırıcılık davası zaman aşımından düştü. Yoksa içeri girecekti. Onun dolandırıcı olduğunu falan yazınca bizimkiler rahatsız oluyordu. O konuda da uyarı geldi. Aynı grubun adamıyız ya, onu da yazmayı bıraktım!

Ben dolandırıcılıktan hüküm giymiş olsaydım, *Hürriyet*'ten veya **Doğan Grubu**'ndan herhalde o gün kovulurdum. Kovulmayı bırakın, insanların yüzüne bakamazdım. Ama hem bizimkilerin hem de **Mehmet Ali Birand**'ın yüreği genişmiş! O da, bizimkiler de umursamadı bile!

26 Aralık Pazar gün çıkan yazımın altına bir not eklemiştim:

"Emin Çölaşan'ın notu: Sevgili okuyucularım, salı günkü yazımda büyük devlet ve hükümet adamı Abdullah Gül'le ilgili somut bir belge açıklayacağım. Okuyunca belki gülecek, belki de hırsınızdan ağlayacaksınız. Lütfen salı gününü bekleyin."

Ertuğrul bu notu da yazıdan çıkarmıştı. Neyi yazacağımı bilmiyordu ve merak edip bana sormuyordu ama notu çıkarıyordu! Ertuğrul iktidarı koruma kollama görevini başarıyla sürdürüyordu. Salı günü o yazıya giriştim ve üç gün boyunca yazdım. Ortalık birbirine girdi. Dışişleri Bakanı **Abdullah Gül** yanıt veremedi. Refah Partisi milletvekili iken Meclis kürsüsünde uzun bir konuşma yapmış, şimdi peşinde koştuğu, yalvarıp yakardığı AB'yi yerden yere vurmuştu. Tutanaklar elime geçmişti. *"Orası Hıristiyan kulübüdür, bizi köpek kulübesine bağlayacaklar"* diyordu. İktidar olunca ağız değiştirmişti.

***

Efendiiim, şimdi geldik 2005 yılına. Ocak ayı başında İslamcı *Kanal-7* sunucusu olan ve sonra *Sabah*'a geçen **Ahmet Hakan** bizim gazetede yazılarına başladı. Arkadaşlar arasındaki söylentiye göre, bizde başlamasını Tayyip istemiş.

ANAR 12 ilde 2.500 kişi ile anket yapmış. Yine en çok okunan köşe yazarı seçilmişim. Ankara Bürosu bunu haber yaptılar, ertesi gün gazetede yok! Kendi köşemde yazdım. İstanbul'dan birileri, kendi adamları olsaydı birinci sayfada iri puntolarla verirlerdi.

20 Ocak 2005. "**Ekran Ciddiyetsizliği**" başlıklı yazım çıktı. Bizimkilere ait olan kanalları da eleştiriyorum. Bir gece önce **Uğur Dündar**'ın programı vardı. Bir saat geç yayımladılar. Bunları eleştirdim, izleyiciye saygısızlık yapıldığını vurguladım.

21 Ocak. **Uğur Dündar** evden arayıp telesekretere not bırakmış. Kurban bayramının ikinci günü. Gazeteden aradım. Uğur üzgün. Ertuğrul kendisini arayıp posta koymuş:

"Siz ekmek yediğiniz kapıya ihanet ediyorsunuz."

Uğur da "O halde ben tası tarağı toplayıp istifa edeyim" demiş. Uğur'a şunu söyledim:

"Sakın istifa etme. İstifa bizler için değil. Bırak, onlar seni kovsun sıkıysa. Kaldı ki o yazıyı yazan benim. Niye beni değil de seni arıyor? Biz onların ekmeğini yiyorsak, onlar da bizim ekmeğimizi yiyor. Biz onlara az mı okuyucu, az mı izleyici kazandırdık? Bizim sayemizde çok büyük paralar kazanmadılar mı? Biz piyangodan çıkmadık. Biz buralara alın teriyle geldik. Sakın istifa edeyim deme Uğur."

***

Almanya'da Diyanet mensubu bir din görevlisinden mesaj geldi:

"Almanya'da görevliyim. İlahiyat mezunuyum. Yazılarınızı yıllardır dikkatle okurum. Zaman zaman da size dozu çok yüksek eleştiri mesajları gönderdim. Sizi hiç sevmem. Aynı dünya görüşüne sahip değiliz. Hele bazı yazılarınız beni o kadar iğneliyor ki, size affedin ama ağız dolusu küfretmek zorunda kalıyorum. Ama sonrasında, 'evet

ama eyvah, Allah kahretsin, yine haklı çıktı bu adam' demekten de kendimi alamıyorum.

Bütün arşivinizi ve hakkınızda yazılanları da okuyorum. Tek tek araştırıyorum bir açığını bulsam da şöyle ağız dolusu bir hakaret mektubu yazsam diye. Allah kahretsin, bulamıyorum.

Haklı çıktığınız sürece, sizden nefret etsem de, aynı zamanda saygı duyacağım.

Ama okuyorum sizi. Her gün de bıkmadan usanmadan okuyacağım. Sakın yanlış anlamayın. Hayatıma yön verdiğiniz için değil, açığınızı bulmak ve size hakaret etmek için."

***

10 Şubat 2005 günü çıkan yazımda Tayyip'in adını kullanmıyorum ve kendisinden "beyefendi" diye söz ediyorum. Yazıda bana yine haber vermeden "beyefendi" sözcüklerini çıkarmış ve yerlerine "Erdoğan" koymuş. Telefon ettim:

"Ertuğrul bıktırdın ve sıktın artık. 'Beyefendi' dediklerimi çıkarıp 'Erdoğan' koymuşsun."

"E tabii canım, başbakana efendi denir mi?"

"Ne efendisi yahu? Beyefendi diyorum. Sen okuduğunu anlamıyor musun? Birisine hanımefendi, beyefendi demek onu küçültür mü? Sana biri beyefendi deyince alınıyor musun? Burada hakaret mi var? İşin tadını kaçırdın artık."

Hık mık etti. Bir daha yapmayacağına söz verdi. Kaçıncı sözdü!

Aslında hükümetle aralarını bozuyordum ve beni istifaya zorluyorlardı. Etmiyordum ve etmeyecektim. Mevziyi terk edip kaçamazdım. Kovma hakkı onlarındı!

***

13 Nisan 2005 Çarşamba. Ankara Temsilcimiz **Sedat Ergin** *Milliyet*'in Genel Yayın Yönetmeni oldu. Onun yerine **Nur Batur** geldi. Konumuz dışında olduğu için Nur döneminde olanları burada anlatmayacağım. Hilton otelinde Nur için gazetenin kokteyli var. **Aydın Doğan** da orada. Selamlaştık.

"Emin, sonra seninle baş başa bir konuşalım."

"Valla Aydın Bey ben de isterim. Tam bir yıldır bana kırgınsınız. Küstünüz."

"Küstüm tabii."

"Peki nedir? Niye küstünüz? Şöyle tenha bir yere çekilip konuşalım da birbirimizi anlayalım. En azından ben bir hatam varsa onu bileyim."

(Tam bu sırada Kavaklıdere Şaraplarının sahibi **Mehmet Başman** yanımıza geldi ve **Aydın Bey**'e hitaben, "Beyefendi, *Hürriyet*'te **Emin Çölaşan** olmasa o gazeteyi bir gün bile almam" dedi. **Aydın Bey** teşekkür etti, ben içimden sevindim.)

"O gün (Mart 2004 olayında) öyle bir yazı yazdın ki, sanki biz seni sansür ediyoruz, baskı yapıyoruz."

"Aydın Bey hem baskı var, hem sansür var. Siz belki bunları bilmiyorsunuz. Ben size jurnalcilik yapmıyorum. Olanları aktarmıyorum. Ama böyle olduğunu bilin. Onun dışında ben size ihanet mi ettim, arkanızdan mı konuştum, sizi sattım mı, ne yaptım? Nedir yanlışım?"

"Hayır, öyle şeyler yapmadın ve yapmazsın. Ama o yazı yüzünden sana kızdım."

"O yazı zaten çıkmadı ki! Sansürlü, üç satır izin yazısı çıktı. Yani çıkmayan bir yazı için mi bütün bunlar?"

"Ama internet sitelerinde çıktı."

"Ben vermedim oralara."

"Neyse, bir gün oturup bunları konuşuruz."

***

2 Haziran 2005 Cuma. O gün yine belgeli, nefis bir yazı yazdım. Bu tür yazıların aslında birinci sayfadan, hatta manşetten verilmesi gerekiyor. Fakat birinci sayfa bana kapalı! Yazının konusu, Milli Eğitim Bakanlığı tarafından ilköğretim okullarında yaptırılan dinle ilgili bir anket. Büyük bir rezalet. Küçücük çocukları ve velilerini bile nasıl kullandıklarının somut göstergesi. Yazımın başlığı "**Burası Neresi? İran mı?**"

Yazım büyük yankı uyandırdı. *Habertürk*, *Kanaltürk* ve *SKY*'da bütün gün canlı yayına çıktım. *ATV*, *Cumhuriyet*, *Milliyet* ve *Vatan* belgeleri istedi, faksladım. Öğleden sonra *Vatan*'ın Ankara Temsilcisi **Bilal Çetin** aradı:

"Abi ellerine sağlık. Bu muhteşem bir olay. Yarın biz bunu dokuz sütun manşetten veriyoruz."

Sonra telefonu **Zafer Mutlu**'ya verdi. O da kutladı ve aynı şeyleri söyledi. Ertuğrul yokmuş. Biraz sonra yazıişleri müdürlerimizden **Fikret Ercan**'ı İstanbul'dan aradım:

"Bak Fikret, benim bugnkü yazım dört dörtlük bir gazetecilik olayı. Ama siz nedense bunları görmüyorsunuz. Belki izlemişsindir, ben sabahtan beni televizyonlarda canlı yayına çıkıyorum. Benim yazıları 5. sayfaya hapsettiniz. Ağzımla kuş tutsam birinci sayfaya çıkarmıyorsunuz. Bizim birinci sayfada yer almamız için ille de İstanbul'da sizin yanınızda mı olmamız gerekiyor yani? İlle de akşam vakti sizlerle bar muhabbetine katılmamız mı gerekiyor?"

"Yav babacım sen burada bizim çalışma koşullarımızı bilmiyorsun ki. Bilsen böyle demezdin. Sen önemli bir şey olunca bize hatırlat, birinci sayfadan veririz o yazıyı."

"Abicim ben mal pazarlamacısı değilim ki. Bugüne kadar böyle bir şey istedim mi sizden? Siz benim yazım İstanbul'a geçildiğinde okumuyor musunuz? İçeriğine gazeteci gözüyle bakmıyor musunuz? Bak, az önce beni büyük bir gazeteden aradılar ve yarına benim yazımı manşet yapacaklarını söylediler. (Belki yapmazlar, mahcup olmayayım diye *Vatan*'ın ismini vermiyorum.) Doğrudur veya değildir, onlar arayıp söyledi. Ancak böyle bir şey olursa *Hürriyet*'in ayıbı olur bu. Benim bir gün önceki yazımı bir gün sonra başkaları manşet yaparsa bizim gazetenin ayıbıdır."

Ertesi gün (3 Haziran) gazeteye merakla geldim ve hemen gazeteleri açtım. Benim yazım *Vatan*'da dokuz sütuna manşet. *Cumhuriyet*'te birinci sayfanın en tepesinde. *Milliyet*'te içeride yarım sayfa.

Bu olanlar sonrasında **Aydın Bey**'i arayıp durumu ona bildirmeye karar verdim. İlk kez belli bir konuda şikâyet edecektim. Çünkü yapılan gerçekten çok ayıptı. Durumu aynen anlattım.

"Aydın Bey, bugün *Vatan, Cumhuriyet* ve *Milliyet*'i herhalde okudunuz. Belki dün televizyonları izlediniz."

"Emin, sen herhalde benim gazeteleri okuduğumu zannediyorsun. Hiçbirini görmedim. Onları bana akşam rapor olarak getirirler. Ama sen *Cumhuriyet*'e bakma. Onlar olaylara ideolojik olarak yaklaşır."

"Ama *Milliyet* sizin gazeteniz. *Vatan* da sizin sayılır."

"Ben bana getirdikleri raporlara bakarım. Köşe yazılarını da okumam. Bazılarına bakarım. Mesela seninkilere de bakarım. Şimdi Ertuğrul Kore'de. Herhalde o yok diye böyle olmuştur."

"Hayır, Ertuğrul burada iken de aynı şey oluyor. Bu durum beni incitiyor. Sadece İstanbul'daki arkadaşların yazıları birinci sayfadan giriyor."

"O başka. Bazen birileri yazılarında bana saldırınca, **Fatih Altaylı** falan beni savunduğu için öyle giriyordur."

Bu ilk şikâyetim herhalde fayda vermişti ki, birkaç gün sonra yine belgeli yazdığım iki yazı, iki gün üst üste birinci sayfadan verildi. Sonra yine eski hamam eski tas!

3 Haziran 2005 günü çıkan yazımın sonunda Genelkurmay Başkanı için "**Hilmi Özkök** hocamız" diyordum. "Hocamız" sözcüğünü cımbızla bulup çıkarmışlar. Helal olsun!

Oysa Tayyip bile kendisine "hocam" diye hitap etmişti.

Arada akrabalık falan yok ama bizim **Özkök** öteki **Özkök**'ü iyi koruyup kolluyor!

***

Yaşadıklarımı özetleyerek veriyorum. Ağustos 2005. Ertuğrul Ankara büroya geldi. Önceden haber salındı ve bütün *Hürriyet* Ankara çalışanları istihbarat salonunda toplandı. Ben de katıldım. Ertuğrul anlatıyordu:

"Arkadaşlar, *Hürriyet* olarak eylül ayından itibaren yeni bir gazetecilik anlayışı başlatıyoruz. Millet artık siyasetten bıktı. Siyaset, terör vesaire gibi haberler gazeteye bundan sonra en az biçimde girecek. Magazin ve renkli yaşam ağırlıklı olacağız. Bu yeni gazetecilik anlayışımızı sizlere daha sonra daha ayrıntılı anlatacağım. Hepiniz ona göre davranacaksınız."

Gazete magazine dönüyordu... Ve döndü...

Ağustos 2005'te Ertuğrul iki kez Ankara'ya geldi. Odamda konuştuk. Uzun uzun geyik muhabbeti de yaptık.

"Patronla barış. Bu soğukluk giderilsin. Mart 2004'ten beri belki bir kez konuştunuz, belki de hiç konuşmadınız."

Aynı yanıtları belki yirminci kez verdim.

"Bak Emin, sen ve ben ikimiz, bu gazetenin başyazarıyız. Bu gazeteyi ikimiz sattırıyoruz. En etkili iki isim sen ve ben. Burada rahat ol be kardeşim. Patronla arayı iyi tut, o da bize her olanağı fazlasıyla sağlasın. Arada sırada onu ara. Haftada birkaç defa arayıp hatırını sorsan küçülür müsün yani? Patronla senin aranın iyi olması hem senin çıkarına, hem de benim çıkarıma. Bak, yılbaşı geliyor. Bakarsın iyi bir prim verir. Rahatımıza bakalım şu dünyada be. Bize ne yolsuzluktan, siyasetten! Millet bıkmış artık bunlardan. Bunları okumak istemiyor."

"Ertuğrul, bunu ben yapamam. Ben patronu haftada birkaç kez arayamam. Bunlar benim yapıma aykırı şeyler. Ne diyeceğim arayıp?"

"Haftada bir arayıp hatırını sor yaaa. Duygusal oldu son yıllarda. 'Patron nasılsın, bir isteğin var mı?' de. Dünyanın her yerinde patronlar gazetenin mutlak hâkimidir. Gazete onun istediği çizgide çıkar. Bir yazar, patronun çizgisi dışında yazı yazamaz. Gerçi bizde öyle değil ama biraz dikkatli olmakta fayda var. Açıkçası senin yazıların bize rahatsızlık veriyor."

"Ertuğrul, bütün sorumluluğu bana yükleme. En başta biz *Hürriyet* olarak ve ayrıca **Doğan Grubu** olarak bu AKP iktidarının üzerine biraz gitsek, vallahi billahi Tayyip her sabah önce seni arar, sonra da Aydın Bey'i arayıp 'Abicim bana bir emriniz var mı' diye sorar. Siz elinizdeki büyük gücün farkında değilsiniz. Bunlardan bu kadar korkmanın anlamı yok yani. Siz isteseniz bunları duman edersiniz be."

"Sen merak etme abicim, biz bu söylediklerini er veya geç yapacağız. Zamanı henüz gelmedi. Sen içini rahat tut. Biraz sessiz git!"

***

Aynı uyarıları alıp duruyorum. Bıkmadan usanmadan uyarıp taciz ediyorlar. Beni, gazetecilik tarzımdan ödün vermeye zorluyorlar.

Burada lütfen hiç kimse zannetmesin ki ben her gün iktidara vuruyorum. Hiç ilgisi yok. Her konuda yazıyorum ama iktidar yazılarım onları rahatsız ediyor.

Eylül 2005. Ertuğrul yine Ankara'da. Odama geldi.

"Bugün patron Ankara'da, seni bekliyor. Üçümüz Hilton otelinde buluşacağız. Seninle biraz konuşmak istiyor. Bu sefer çok ciddi. Senden ricam, patronla konuşurken biraz rahat ol, gevşek ol. Rahat rahat konuşun. Ben de orada olacağım. Yazılarında yine hükümete eleştiri var, hakaret var. Ama sen bu gazetenin bir numaralı adamısın."

"Yav gazetenin bir numaralı adamı olduğumu söylüyorsun da yazılarımda hangi hakaret var? Hep aynı şeyleri söylüyorsun. Göster bakalım bir tane hakareti... Bak arkadaş, ben senin bu imalı sözlerinden hiçbir şey anlamıyorum. Ne olacak bugün?"

"Patron seninle konuşacak. Ben de orada olacağım. Üçümüz olacağız. Sonra da yemek yeriz. Sen gevşek ol, sert karşılık verme yeter."

"Senden arkadaşça bir tek şey rica edeceğim. Eğer mümkünse orada biraz benden yana tavır koy..."

Saflığıma, iyi niyetime bakar mısınız! Akşam saat 18.30'da beni evden aradı, Hilton 301 numaralı odada beklediklerini söyledi. Bismillah deyip evden çıktım. Odada ikisi var. Patronla öpüştük. Beyaz şarap içiyorlar. Bana da bir kadeh verdiler. Birkaç cümle sonra **Aydın Bey** hemen konuya girdi.

"Seninle kaç yıldır beraber çalışıyoruz. Artık beni anlaman lazım... Bak arkadaş, ben bu hükümetin ekonomik programını tamamen destekliyorum. Özelleştirme, AB, ben bunlardan yanayım. AB sayesinde memlekete yabancı sermaye akıyor. Piyasalar açıldı. Döviz düşük. Kâğıdı, mürekkebi, makineleri ucuza getiriyoruz. Biz çok rahatız. Gazetede de işlerimiz çok iyi. Sen hükümete karşı çıkıyorsun ama durum senin yazdığın gibi değil. Artık inandırıcı olamıyorsun. Yazılarını değiştireceksin. Hükümeti acımasızca eleştiriyorsun. Alay ediyorsun, hakaret ediyorsun, aşağılıyorsun. 'Başbakan kayıp' diye yazıyorsun."

"Başbakan ağustosta tatile çıkmıştı ve ortadan kaybolmuştu. Sonra Tekirova'da Riksos otelinde ortaya çıktı. Bunu *Hürriyet* dahil bütün gazeteler yazdı. Benim yazdığım da odur."

"'Mütareke basını' diyorsun. Benim yayın kuruluşlarımı hedef alıyorsun. Üslubun çok sert. Hem de yanlış şeyler yazıyorsun."

"Örnek verir misiniz yanlış yazdıklarıma Aydın Bey?"

"Bırak şimdi benden örnek istemeyi. Tayyip Bey'i de acımasızca eleştiriyorsun."

"Elbette eleştiririm Aydın Bey. Ortada kendisinden başka kimse var mı? Genelkurmay yok, bakanlar yok, partisi yok, muhalefet yok, sadece başbakan var. Elbette bütün eleştiri okları ona yöneliyor. Benim yaptığım da bu. Hayır, ben gerçekleri yazıyorum."

"Yazılarında hakaret ediyorsun."

Bu konuşmalar olurken Ertuğrul sessizce dinliyor. Bir yardıma, desteğe ihtiyacım var. Bu hakaret lafından sonra Ertuğrul'a dönüp sordum:

"Benim yazılarımda hakaret var mı Ertuğrul?"

Ne dese beğenirsiniz!

"Eskisi kadar yok, biraz azaldı!"

Tartışma kızıştı. Ertuğrul kendiliğinden bana müdahale etti:

"Burada bizim yanımızda rahat ol Emin... Gevşe biraz."

Fakat patron gevşemişti! Beyaz şarap etkisini gösteriyordu. Bir ara güldü, "Valla ben kafayı buldum galiba" dedi.

Tam bu sırada Ertuğrul'a telefonla bir haber geldi. **Hülya Avşar** kocasından boşanıyormuş. Ertuğrul İstanbul yazıişlerini arayıp bunun yarına manşet yapılması direktifini verdi. Odada bir miktar **Hülya Avşar** ve magazin muhabbeti yapıldı... Ve **Aydın Bey** yeniden söze başladı:

"Biz bir takımız. Sen takım oyununun dışında kaldın."

"Ortada takım falan yok Aydın Bey. Siz takım oyununu gazetenin çalışanlarına bir sorun. Herkes eziliyor, sömürülüyor, herkes şikâyetçi. Ama onları takan yok. Belki çok üst düzeyde bir takımınız varsa da, onu ben bilmiyorum. Bunca yıldır bu gazete için gece gündüz çalışıyorum, size saygınlık kazandırıyorum. Allah'a bin şükür kafam da çalışıyor. Tam 20 yıldır bu gazetedeyim. Ama bir gün olsun yönetimden bir kişi beni adam yerine koyup 'şu konuda ne dersin, ne düşünüyorsun' diye sormadı. Bir tek toplantıya bile çağrılmadım. Bizi hep yabancı olarak gördünüz. Bekir'i de öyle. Biz hep dışlanmış durumdayız..."

"Sen diyorsun ki ben özgürüm, bağımsızım. Ben kimseyi takmam. Patronu da takmam diyorsun."

"Ben hiçbir zaman böyle bir şey söylemedim. Aksini iddia eden varsa çıkarın karşıma ve bunu bana sizin yanınızda söylesin."

"Söylemedin ama davranışların böyle. Takmak zorundasın. Geçen gün gazetede senin bir yazın çıktı. Çok beğendim. Aklımdan seni arayıp tebrik etmek geçti. Ama sana öyle kızgınım ki, bunu bile yapmadım."

"Oooo, bir yazımı olsun beğendiğinize sevindim valla. Keşke arasaydınız, bana moral olurdu."

"Mart 2004 olayından beri sana çok kızgınım. Bizi zor durumda bıraktın."

"Ne yaptım orada? Aleyhinize bir tek cümle mi söyledim? Bütün medya peşimdeydi. Hiç kimseyle bir kez olsun konuşmadım, bilgi sızdırmadım."

"Ama bir izin yazısı yazdın, orada baskı altında olduğunu söyledin."

"Ama o yazı girmedi ki gazeteye. İki satır çıktı. Ertuğrul zaten yazıyı makaslamıştı."

"Olsun, sen öyle yazdın. Sonra internetlerde çıktı, basına yansıdı, kıyamet koptu."

"Benim internetlerle falan uzaktan yakından ilgim yok. Oralara ben vermedim. Ama kimlerin verdiğini de biliyorum."

"Kim onlar?"

"O sır benimle mezara gider Aydın Bey. Kusuruma bakmayın."

Evet, ortada somut hiçbir şey olmadan birileri tarafından suçlanıyor ve kendinizi savunmaya itiliyorsunuz. Dünyanın en zor işi.

Birazdan kalkacağız. Yemeğe gitme zamanı geldi. Patron bir şey daha söyledi:

"Ya benim dediğim gibi olursun ya da bu iş böyle gitmez. Hükümeti eleştirmeyeceksin."

"Aydın Bey, eğer ben **Emin Çölaşan** olup bir yerlere geldiysem, bu tür yazılarla geldim. Ben başka doğrultuda yazamam. Kaldı ki eleştiri dışında bin çeşit yazı yazıyorum. Muhalefeti de eleştiriyorum. Her konuya değiniyorum. Tavrımı değiştirirsem ben milletin önünde biterim. Bu durum herhalde sizin de işinize gelmez."

"Bak kardeşim, bir gazetede veya Türkiye'de en çok okunan yazar olabilirsin. Bu bir şey ifade etmez. Burası benim gazetem. Burada benim sözüm geçer. Kendinizi gazete sahibi zannetmeyin."

"Ben aklımı yitirmedim ve böyle bir şey asla zannetmedim. Elbette sizin gazeteniz. Bugün karar verirsiniz, benim işim biter burada. Yarın iki satır yazı gönderirsiniz ve benim işim biter. Kimi isterseniz onu alırsınız."

"Neyse kardeşim, durum budur. Sana son sözümü söyledim."

Kalkıp üçümüz gazetenin arabasına bindik, Vog restorana gittik. Heykel gibiyim. Ağzımı açamıyorum. Kalabalık bir yemek. Yemek bitti, topluca dışarı çıkıyoruz.

Çıkışta Ertuğrul'un yanına yanaştım ve olanları kimse duymasın diye sessizce konuştum:

"Bak arkadaş, bu yaptığın çok ayıp oldu. Ben korkunç incindim. Beni bu duruma düşürmeyecektin. Yanlış bir iş yaptın."

"Yok yaaa, patron seninle nasıl dostça konuştu. Sen çok gergindin. Benim her gün yediğim fırçaları bir bilsen sen!.. Aman, sakın yanlış bir şey yapma. Biz bu gazetede hep birlikte daha nice güzel günler yaşayacağız."

"Yanlış yapma" derken neyi kastediyordu? Herhalde intihar edecek değildim. Acaba "istifa etme" mi demek istiyordu? İstifa edip mevziyi karşı saflara, Tayyip ve ekibinin adamlarına bırakma niyetim de yoktu.

Gece eve gittim, uykum kaçtı. Olanları Tansel'e anlattım. Bir süre sonra taşları yerine oturttum, olayı çözdüm.

Ertuğrul büyük olasılıkla patrona şöyle demişti:

"Emin'i denetim altına almak beni çoktan aştı. Siz bir konuşun ama kesin tavır sergileyin."

Hilton mülakatı öncesinde benim odama iki-üç kez gelmiş, beni yumuşatmaya çalışmıştı. İmalı, bazen de açık sözlerle para ve tatlı gelecek vaatlerinde bulunmuştu.

Mart 2004 olayını bana bir kez daha yaşatmışlardı. Ama bu sefer daha katı ve acımasız bir biçimde.

Peki ama **Aydın Doğan** benimle konuştuğu gün Ankara'ya niçin gelmişti?

Benden önce Başbakan **Recep Tayyip Erdoğan**'la randevusu vardı. Uzun uzun konuşmuşlardı. Tayyip herhalde benden övgüyle söz etmiş, yazılarımdan asla şikâyetçi olmadığını bizim patrona bildirmişti!

Ertesi gün gazetede, bir gece önce olanları Bekir'e aynen anlattım. Uzun uzun dertleştik. Bekir çok bozuldu:

"Aslında aynı mesajları dolaylı olarak bana da senin aracılığınla göndermiş oldular. Senin bunları bana anlatacağını nasılsa biliyorlardı."

Sonraki gün (9 Eylül) bir baktım ki, Bekir'in gazetede yazısı çıkmamış. Oysa dün gazetedeydi. Bekir gelince niye yazısının çıkmadığını sordum.

"Sen dün bunları anlatınca sinirim bozuldu ve beynim kilitlendi. O yüzden yazamadım."

***

Bu aşamada, bütün bunlar olurken, *Hürriyet* ve **Doğan Medya Grubu** çalışanlarının bir tek umudu vardı. Aydın Bey, sahibi olduğu Dışbank nedeniyle sıkıntı çekiyordu. Gerçi bankanın taş gibi sağlam olduğunu kendileri söylüyordu ama yine de korkuyorlardı. Hükümet bankaya birkaç maliyeci yollasa, birkaç vergici yollasa, nasıl olsa bir açığını bulur ve patronun üzerine giderdi.

Dışbank'ın satılacağı söylentisi yaygınlaşmıştı. Ah bir satılsa da elimiz rahatlasa... Hükümetin kucağından kalksak. Yayın organlarında daha korkusuz, daha gerçekçi, daha çok muhalefet sergilense!

Ertuğrul hep demiyor muydu "Biz bunlarla er veya geç papaz olacağız" diye!

Papaz olma zamanı bir geliverse!..

Dışbank Nisan 2005'te yabancı bir kuruluşa satıldı ve Fortis oldu. Ama bizim yayın politikasında değişen bir şey olmadı... Çünkü işler çok büyümüştü. Bundan sonra işin içine POAŞ falan karıştı. Devreye bir bölümünün haksız olduğuna inandığım çok büyük para ve vergi cezaları girdi.

AKP bizimkilere sopanın ucunu gösterip gözdağı veriyor, onları daha beter korkutuyordu.

Üstelik patrona ait Ray Sigorta vardı, devletle çok büyük işleri oluyordu.

İktidarın baskısı sürüyordu. AKP hükümeti bizimkileri rahat bırakmayacak, hep korku salacak ve onları kendi çizgisinde tutmayı başaracaktı. Bizler de Tayyip başta olmak üzere özellikle **Kemal Unakıtan** isimli Maliye Bakanı ve TMSF hakkında pek bir şey yazamayacaktık!

Bir gün **Şükrü Küçükşahin, Unakıtan**'ı eleştiren bir yazı geçmişti. Akşam saatlerinde Ertuğrul'dan Şükrü'ye haber geldi. Yazısı girmeyecekti. Yeni bir yazı yazması gerekiyordu. Şükrü başka bir yazı yazdı.

Bu olayların nicesi yaşanıyordu. Konuyu dağıtmamak için ayrıntılara girmiyorum.

***

TMSF, **Demirel** ailesine ait Göltaş'a el koymuştu. TMSF'nin bazı çalışanları şimdi Göltaş'ın paralarını güzelce kullanıyor, özel harcamalarını buradan yapıyordu. Bütün belgeler elime geldi. Belgeleri ekonomi muhabirimiz **Çiğdem Toker**'e verdim. O haberini iki bölümde yazacak, ben de yazımı Çiğdem'in haberi üzerine kurgulayıp yazacağım. Çiğdem ilk haberi yazıp geçti. Ben de yazımı geçtim.

İstanbul'dan Ertuğrul aradı:

"Bunu yarına bırakalım, iyi bir şekilde patlatalım. Çok iyi bir olay. Hepsi belgeli mi?"

"Hepsi belgeli."

"Yalan yanlış olmasın?"

"Bugüne kadar yalan yanlış bir şey yazdım mı ben?"

Ertesi gün bombayı patlatacağız! Sabah yine aradı:

"Ben **Ahmet Ertürk**'le (TMSF Başkanı) konuştum. 'Bizim mensuplarımız bunu yapmışlarsa ben onların kulağını çekerim' dedi. Biz bunu biraz daha tutalım."

"Tutacak ne var? Her şey doğru."

"Ben yarın Ankara'ya geleyim, dosyaya bir bakayım. Belgeler düzmece falan olabilir."

"İnsaf yahu Ertuğrul! Ben bugüne kadar düzmece belge geçtim mi? Yine mi korkuyorsunuz? Bu sefer TMSF ile mi işiniz var?"

Ertesi gün geldi. Dosyayı gördü. "Ben bu dosyayı İstanbul'da bizim muhasebe servisine bir göstereyim de onlar incelesin" demesin mi!

"Kardeşim benim yazımla, Çiğdem'in haberiyle bizim muhasebe servisinin ne işi olabilir? Komik olma. Ben sana dosyayı vermem."

"Abicim sen ver, ben sana hemen gönderirim. Ondan sonra bombayı patlatırız."

Verdiğim dosya bir daha geri gelmedi. Haber kaynağımı arayıp özür diledim:

"Ne olur kusura bakmayın. Bu işler artık bizi aşıyor. Tepede binbir hesap dönüyor. İşe ilahlar karıştı. Sizden özür diliyorum. Ben de gazeteci olarak bu olanlardan utanç duyuyorum ama elden bir şey gelmiyor."

Neden böyle olmuştu? O sırada bizim patron, *Star* televizyonunu TMSF'den satın almıştı. TMSF'nin ihaleyi onaylaması için gün sayılıyordu. Aradan uzunca bir süre geçti, Ertuğrul'u arayıp dosyayı bir kez daha istedim. Çok dil döktü:

"Aman gözünü seveyim anlayış göster. TMSF bizim ihaleyi onaylayana kadar onlarla ilgili bir şey yazamayız. Herifleri ürkütmeyelim."

Aradan yıllar geçti, bırakın aleyhte bir şey yazmayı, özellikle gazetenin övgü ve yağcılık dolu ekonomi sayfalarında TMSF'yi sürekli göklere çıkardılar, **Ahmet Ertürk**'ün sözcülüğünü yaptılar.

Bizim gazetenin ekonomi sayfaları muhteşemdi! En az altı sayfa, iktidara inanılmaz övgüler düzülürdü. Bugün de öyle.

***

Bugün 29 Eylül 2005 Perşembe. Gazetede AB ile ilgili bir yazım çıktı. AB bizden Ermeni soykırımını tanımamızı istiyor. Bunlar 3 Ekim müzakere tarihinden hemen önce oluyor. Öğle vakti saat 11.45. Gazetedeyim. Ertuğrul Londra'dan arıyor:

"Bugün çıkan yazın çok ağır. AB'ye saldırıyorsun. Seni, yazın çıktıktan sonra okuyucun olarak arıyorum. Türkiye'yi AB karşısında kuma'ya benzetmişsin. Böyle şey olmaz. Bir daha böyle yazılar yazma."

Feci bozuldum. Tepem attı. Telefonu suratına kapattım. Hiç böyle olmamıştım. Başöğretmen (!) 7 Eylül fırçasından sonra, şimdi de üzerime böyle geliyordu. Bütün sigortalarım attı. Öğlen 12.00'de bizim yemekhanede arkadaşlarla hep birlikte yemek yeriz. Yemeğe indim. Masada **Çiğdem Toker, Uğur Ergan**, benden kısa süre önce kovulan **Kâmuran Zeren**, **Meva Arıkan**, **Nurettin Kurt** ve Temsilci Yardımcısı **Faruk Bildirici** var.

Olayı onlara da anlattım. Çok kötü bir durumdayım. Artık bu işi bitirme zamanı geliyor. Burada daha fazla durulmaz. Arkadaşlar da çok üzüldü. Yukarıya, odama çıkıp karar vereceğim. **Uğur Ergan** "Abi ben de geliyorum" dedi. "Gelme, sakin kafayla düşünüp karar vereceğim" dedim.

Rezillik artık diz boyu.

Yemekten çıkınca doğru Bekir'in odasına girip olanları anlattım. Bekir de çok bozuldu. Bu sırada odaya Faruk girdi ve konuştuklarımıza tanıklık etti. Bana sakin olmamı önerdi.

İzinden yeni dönmüştüm. Bir yazı daha yazıp yeniden izne çıkacağım ve yeniden kıyamet kopacak. Bıktım artık bunların korkmasından.

Odama dönüp kısacık bir yazı yazdım. Birazdan İstanbul'a geçeceğim:

"Sevgili okuyucularım, bir süre daha izin yapmak durumundayım. Hoşça kalın."

Yanıma Bekir geldi. Yazdığım bu kısacık yazıyı ona da gösterdim. "Şimdi bunu geçeceğim, birazdan da çekip gideceğim" dedim.

Tam bu sırada telefon çaldı. Karşımda Ertuğrul!

"Demin ben seni arkadaşça aramıştım. Ne var bunda bu kadar kızacak? Şimdi beni Faruk arayıp senin çok üzüldüğünü söyledi. Senden özür diliyorum."

"Yav ben senin öğrencin miyim? Sen benim öğretmenim misin? Sen benim velim misin, büyüğüm müsün, nesin? Yeter artık be!"

"Sen de benim yazılarımı eleştir. Ne var bunda? Yine de özür diliyorum. Lütfen bir çılgınlık yapma."

(Bekir yanımda, bütün konuşmaları dinliyor. Ertuğrul'un defalarca özür dilemesine tanık oluyor.)

"Ben bu kafayla yarına yazı yazamam. Haberin olsun. Yarın benim köşeyi boş bırakın."

"Lütfen, beni çok zor durumda bırakırsın. Yav şuraya İngiltere'ye başbakanla söyleşi yapmaya geldim. Bu işi bana zehir etme. Lütfen yaz, ne yazarsan yaz."

Bekir bir kâğıda not yazıp önüme sürüyor. "Özür diliyor, kabul et" diyor... O kafayla oturup yazı yazdım.

Sonra, geri adım attığımı düşünmesinler diye bu konuşmayı Uğur, Çiğdem, Kâmuran, Meva, Faruk ve öteki arkadaşlara aynen anlattım. Allah'ın büyüklüğü, Bekir de onun aramasına ve konuşmamıza aynen tanık olmuştu. Arkadaşlar itirafta bulundu:

"Abi seni hiç böyle görmemiştik. Yemekte suratın kapkara idi. Kalp krizi geçireceksin zannettik ve çok korktuk."

***

Ertuğrul'un 6 Ekim 2005 tarihli yazısının başlığı: "**O Manşetlerin Üstündeki Logolar**". Arkadaşın işi bana sataşmak. Ertesi gün ben kendisine yanıt versem çok ağır olurdu ve o yazıyı zaten gazeteye koymazdı. Suyun başında olmanın avantajını kullanıp hep arkadan vuruyordu.

Bu kez bana ismimi vererek bindiriyor. Yazısını aynen veriyorum:

"Emin Çölaşan dünkü yazısında ilginç bir sınıflandırma yapmış. Bazı gazetelerin, Avrupa Birliği ile müzakerelerin başlamasını 'Zafer' olarak değerlendirdiğini söyleyerek bu manşetleri eleştirmiş.

Buna karşılık bazı gazetelerin de bu olayı daha gerçekçi verdiğini belirtmiş.

Çölaşan, beğenmediği ve beğendiği manşetleri vermiş, ancak bu manşetleri atan gazetelerin adlarını yazmamış.

Ben küçük bir araştırma yaparak bu manşetleri hangi gazetelerin verdiğini buldum.

Çölaşan'ın beğenmediği manşetler ve bunları atan gazeteler şunlar:

– Viyana valsi (Hürriyet).

– Direndik, kazandık (Vatan-Bugün).

– Avrupa'nın ay yıldızı. Medeniyetler kucaklaştı (Sabah).

– Dimdik durduk, kazandık (Akşam).

– Türkiye'nin AB yürüyüşü sürüyor (Zaman).

– 3 Ekim miladı: Biz kazandık (Türkiye).

– İşte bu kadar. Viyana pes etti (Yeni Şafak).

– Söke söke Avrupa. Medeniyetler buluştu, yeni milat başladı (Tercüman).

– Mutlu son: Yolculuk başladı (Radikal).

– Atam, rahat uyu! (Posta).

– AB tamam, yola devam (Star).

– Masaya oturduk. Yeni Avrupa, yeni Türkiye (Milliyet).

– Viraj zor aşıldı (Gözcü).

– Ankara'nın gelmiyoruz resti, AB'de deprem yarattı (Bugün'ün alt başlığı).

***

Çölaşan bu manşetleri eleştiriyor. Buna karşılık şu gazetelerin manşetlerini destekliyor:

– Böyle rezalet görülmedi. Dayatmalar masada bekliyor (Yeniçağ).

– Batı'ya kul köle olmayı bırakın. Aslımıza dönelim (Milli Gazete).

– Zorlu süreç başladı (Birgün).

– AB yolculuğu zorlu ve sonu belirsiz bir sürece girdi (Cumhuriyet).

Çölaşan vermemiş ama bunlara Anadolu'da Vakit Gazetesi'nin manşeti de eklenebilir:

'Hep aynı taktik.'

***

Bu tabloya baktığımız zaman şöyle bir durum ortaya çıkıyor:

'Yeniçağ', MHP yanlısı bir gazete.

'Milli Gazete', malum, Saadet Partisi'nin resmi gazetesi.

'Anadolu'da Vakit', Türkiye de dinci kesimin en radikal yayın organı.

'Birgün' ise, daha çok, Berlin Duvarı'nın yıkılışından önceki sol zihniyeti temsil eden bir gazete.

'Cumhuriyet'i tarif etmeye gerek yok. Kamuoyunca biliniyor.

Kısaca bu gazeteler, 'Cumhuriyet' hariç, bir anlamda Türkiye'de 'marjinal' sayılabilecek bir düşünce yelpazesini yansıtıyor.

***

İki listede yer alan gazetelerin toplam tirajları karşılaştırıldığında ilginç bir tablo ortaya çıkıyor.

Türkiye'de günde toplam 4.5 milyon civarında gazete satılıyor.

Çölaşan'ın listesine göre, 3 Ekime 'Hezimet' diyen gazetelerin toplam satışı, 100 bini bile bulmuyor.

Bu hesapla, geriye kalan 4 milyon 400 bin insan, bu olayı 'Başarı' olarak gören gazeteleri alıp okuyor.

Bu tabloya bakıp ne diyeceğiz?

Türkiye'nin yüzde 99'u, 3 Ekimde alınan kararı 'Başarı' olarak mı görüyor?

Yoksa bu gazeteler, 'Halkın görüşlerine ters yayın' mı yapıyor?

Ne biri, ne öteki...

Bu tablolar Türkiye'de basın gerçeğini gösteriyor.

Türkiye'nin ana gövdesini oluşturan büyük gazeteler, Türkiye yelpazesinin her kanadına seslenen yazarlara yer veriyor.

Emin Çölaşan, bu yazıyı Hürriyet'te yazıyor.

Bekir Coşkun da, Özdemir İnce de.

3 Ekim olayına eleştirel destek veren Oktay Ekşi de aynı çatı altında.

Buna karşılık bu olayı 'Başarı' olarak gören ben de, Mehmet Y. Yılmaz da, Hadi Uluengin ve Ahmet Hakan da bu gazetede yazıyor.

Bunun adı 'demokratik birarada yaşama kültürüdür.'

***

Dün başka bazı gazetelerde Türk basınına yönelik çok ağır yazılar okudum.

Hürriyet yazarları artık Yayın Konseyi'nin çizdiği çerçeve içinde hakaretamiz ifadeler kullanmıyor.

Ama yukarıda ikinci grupta yer alan bazı gazetelerde, 'yalakalıktan' tutun da 'mütareke basınına' kadar en ağır ifadeler ölçüsüzce kullanılmıştı.

Tabloyu bütün çarpıcılığıyla önünüze koydum.

Halkın görüş yelpazesini en demokratik açılımla yansıtan gazetelerin tavrı ve toplam tirajları ortada.

Buna karşılık, kendisi gibi düşünmeyen insanların yazdığı gazeteleri 'mütareke basını' olarak niteleyecek kadar gözü dönmüş insanların yazdığı gazetelerin toplam satışı da ortada."

Bu kitap yazıldığında 2007 yılının sonları. AB ilişkilerinin ne duruma geldiğini, nasıl laçkalaştığını ve sonuçta kimin haklı çıktığını Ertuğrul herhalde görmüştür!

Bu işlerin, gazetelerin toplam satış rakamıyla ilgisi olmadığını da inşallah anlamıştır.

7 Ekim tarihli yazısında bu kez Bekir'e değiniyordu! Bekir çok bozuk. Aynı gün kendisini İstanbul *Hürriyet*'ten **Neyyire Özkan** arayıp AB karşıtlığı yaptığı için sitem etmiş. Yine aynı gün, Bekir'le söyleşi yapmak isteyen **Ayşe Arman**, ekrandan küstahça sorular göndermiş. Bekir de alay eden yanıtlar vermiş. Hepsini ekrandan okudum. Söyleşi pazar günü yayımlandı.

Belli ki, ikisi de Bekir'in üzerine sevkedilmiş.

***

13 Ekim 2005 Salı. Hastayım, ateşim var. Evde yatıyorum. Sabah 10.15'te Ertuğrul evden aradı. Almanya'da imiş. Önce gayet kibar, "Kendine iyi bak, grip aşısı yaptır" muhabbeti...Sonra konuya girdi:

"Bugün çıkan yazında '*Hürriyet*'ten biri' diye benden söz etmişsin."

"Bugün çıkan yazımda senden falan söz etmedim. Söz ettiğim kişi **Hadi Uluengin**'dir. Dünkü yazısında Atatürkçülere, ulusalcılara sövüyordu. O ifadelerin yüzde birini ben yazsam kıyamet koparırdınız. Senin adamların bize bindirince her şey serbest!"

"Haaa, ben senin yazını henüz okumadım. Acaba ben mi yanlış anladım?"

"Okumadıysan nereden biliyorsun seni yazdığımı?"

Kafamdaki taşlar hasta yatağımda yerine oturdu. Demek ki bunların jurnalcileri vardı. Ya jurnalcisi kendisine bilerek veya bilmeyerek yanlış bilgi vermişti ya da verilen jurnali Ertuğrul büyüğümüz yurtdışında yanlış anlamıştı. Demek ki böyle yalan yanlış bilgiler Aydın Bey'e olduğu gibi ona da aktarılıyordu. Jurnal mekanizması çalıştırılıyordu!

Aynı gün hasta durumda gazeteye gidip yazımı yazdım. Akşamüstü yine yataktayım. Kendisini aradım. İstanbul'a dönmüştü.

"Okudun mu benim yazıyı? Senle ilgili olmadığını anladın mı? Senden mi söz ediyormuşum? Sonra yine sorun çıkmasın. Yine kapışmayalım."

"Ben zaten okumuştum. Hiçbir mesele yok."

Biraz sonra, saat 18.45'te bu kez o beni aradı. Ayağa kalkacak halim yok. Tam uyumuştum. Her arayışında "Eyvah, yine bir pislik var" diyorum.

"Yarın çıkacak yazında Tunceli'de beş şehit haberi küçük verildi diye yine medyayı suçluyorsun. Aslında sen beni suçluyorsun."

"Ne konuşuyorsun sen be kardeşim? *Hürriyet*, *Milliyet*, bizim grubun neredeyse tamamı o haberi birinci sayfadan verdi. Ben 'bazı gazeteler' diyorum yazımda. Onları eleştiriyorum."

"Hayır, medya deyince beni kastediyorsun. Medya benim. Yazılarında medya kelimesi ne zaman geçse içinde *Hürriyet* ve ben varım. Biz bu şehit haberlerini PKK'nın reklamı olmasın diye büyük vermiyoruz. Bunu bilerek yapıyoruz."

"Reklam mı kaldı? Ortalıkta kan gövdeyi götürüyor, sen PKK reklamı diyorsun."

"Ayrıca yarın çıkacak yazında Tayyip Bey'in Alman başbakanına verdiği iftarla alay ediyorsun. Oysa ne güzel bir şey yaptı başbakan. Siz artık Erbakan çizgisine geldiniz, biliyor musun?" (Çoğul konuşuyor. Kasdettiği öteki kişi Bekir olsa gerek!)

"Herhalde şaka yapıyorsun. Bunu bir espri olarak alıyorum."

"Şaka yapmıyorum. Ciddiyim, Erbakan çizgisine geldiniz. Ayrıca bak, patron bugün yine senin yüzünden hop oturup hop kalkıyor."

"Ne oldu yine? Bir kusur mu işledim!"

"Bugün çıkan yazında yine **Emine Erdoğan**'a bulaşmışsın. Sakalı Şerif'in Siirt'e gönderileceğini, çünkü Emine Hanım'ın Siirtli olduğunu yazmışsın. Ben Almanya'da olduğum için dün okuyamamıştım yazını. (Sansür edememişti!) Patron seni Emine Hanım'dan söz etme diye uyarmıştı. Haber de zaten yalanlandı. (Bu haber bütün basında yer almıştı. Tayyip yazımın çıktığı gün açıklama yapıp haberi yalanlamış, "Bunu yazanlar densizdir" demişti.) Bak arkadaş, patronla kavga ediyorsun. O seni Ankara'da uyardı, 'Hükümeti eleştirme' dedi. Haftada bir eleştir be kardeşim. Araya başka şeyler sok. Türkiye'de konu mu yok! Kuş gribi yaz, CHP yaz, başka şey yaz. İş kopma noktasına gidiyor, haberin olsun."

"Ne demek yani bu? Kimi tehdit ediyorsun? Kovacaksanız kovun."

"Sen patronu bir ara da konuş. Ben şimdi son aracılık görevimi yapıyorum. Sen bittin. Gazetenin okurları artık sana inanmıyor."

"Tabiii... Onlar mutlaka sana, **Hadi Uluengin**'e ve senin gibilere inanıyordur!"

"Ben artık bu aracılık görevinden yorgun düştüm. İkiniz ne haliniz varsa görün arkadaş. Hesabını patrona verirsin."

"Benim kimseye verecek hesabım yok. Sen de bunu iyi bilesin."

Bu konuşma yine tepemi attırdı. Kaç gündür hastayım, yatıyorum. O halde her gün gazeteye gidip yazımı yazıyorum ve bunlar neyin peşinde. O günlerde kuş gribi salgını var. Bir türlü düzelemiyorum ve arkadaşlar "Kuş gribi oldun, yanımıza yaklaşma" diye gırgır geçiyorlar.

Saat 19.15'te Bekir aradı. Ertuğrul az önce onu da aramış, yarın çıkacak yazısındaki bazı cümleleri çıkarmasını istemiş. Çıkarmasını istediği bölüm şöyle:

"Avrupa'da erkeklerin birbirini öpmesi eşcinsellik anlamına geliyor. Bizimkiler AB görüşmelerinde habire karşıdakini öpünce adamlar bundan kaçınıyor."

Bekir kabul etmemiş, "O bölüm çıkacaksa yazının tamamını koymayın" demiş. En azından Bekir'e haber vermiş. Benimkiler habersiz yapılıyor!

***

Bugün 14 Ekim 2005 Cuma. Ertuğrul'un bugünkü yazısında yine isim vermeden ben ve benim gibi düşünenler var. Yazının başlığı "**Sermaye Irkçılarının Sicili**". Özetliyorum:

"...Kimi köşe yazarıdır. Tuzu kurudur. Hayatları kendi dar cemaatleri, onlara e mail, faks gönderen, telefon eden fanatik azınlıkların yarattığı egoist cennetlerde geçer. (Benim üzerimden *Hürriyet* okurlarından söz ediyor!)

Yabancı sermaye kaçmış, dış yatırımcı ürkmüş, yatırımlar durmuş, onların umurunda bile değildir. Hatta Türkiye kötüye gittikçe için için sevinirler.

Çünkü umudunu kaybetmiş insanlar, sönmüş ocaklar, işsiz kalmış ruhlar onların hayat coğrafyası, av alanıdır. O umutsuz insanların acılarını sömürerek, onların üzerine binerek hayatlarını idame ettirirler.

İstikrar, gelişme, refah, ekonomik büyüme en büyük korkularıdır.

Ben usanmadan, bıkmadan, oradan buradan gelecek azgın uğultulara kulaklarımı tıkayarak yazmaya devam edeceğim. Bu karanlık ruhları, bu refah düşmanlarını teşhir edeceğim.

Bugün Arap, Yahudi, Amerikan, Rus, Fransız sermayesi düşmanlığı yapan ruhların hayat gailesi yoktur. Kimi parti başkanıdır, kimi siyasetçi, kimi de köşe yazarı. Hepsinin tuzu kurudur."

Bu tür yazılarıyla gerçekleri çarpıtıyor, bir yandan da Tayyip'e mesaj gönderip, "Sana ve iktidarına işte böyle destek veriyorum" diyordu.

Ve bu tür yazılarını çok büyük olasılıkla **Aydın Doğan**'la yaptığı özel konuşmalar sonrasında, onun hoşuna gitsin diye yazıyordu.

Bugün *Hürriyet*'ten bir köşe yazarı arkadaş aradı. "Şunun yazdıklarını okudun mu? Aynı baskılar hepimizin üzerinde var. Sabırlı olacağız. Bu ortam bir gün bitecek, başka çare yok" dedi.

Aynı gün akşam 18.00'de evden Ertuğrul aradı. Yine yatıyorum. "Geçmiş olsun, nasılsın" muhabbetinden sonra yine konuya girdi. Aynı plak bir kez daha çalıyordu:

"Ben patronla aranızda kalmaktan sıkıldım, ezildim. Bütün sinir sistemim bozuldu. Kaç gündür şarap içmemiştim, dün gece senin yüzünden yine içmeye başladım. Şu gazetede mutlu olalım, keyfimize bakalım. Ne olur hükümetle, iktidarla ilgili bir şey yazma..."

"Ertuğrul bırak artık bu lafları. Dünkü konuşmalarımızdan sonra gazeteden kovulma tebligatı beklemiştim ben. Niye kovmadınız?"

"Sen deli misin? Senin gibi marka bir ismi kovmak benim aklımdan geçer mi? Benim bütün derdim gazetedeki şu çok taraflı mozayiği korumak. Her fikirden insan yazsın bu gazetede."

"İyi de mozayik koruma uğruna hep bana tosluyorsun. **Hadi Uluengin** denilen adam yazılarında her gün bize sövüyor, orduya sövüyor, hakaret ediyor, ona bir şey demiyorsun. Onların dokunulmazlığı var."

"Nasıl demiyorum! Ben onun nice yazılarını koymadım gazeteye, biliyor musun? Şimdi onu da arayıp uyaracağım bir daha!.."

"Bak, bugünkü yazında bana ve benim doğrultumda yazan birkaç kişiye taş atıyorsun. Bu sana yakışıyor mu? Senin daha tepede, daha tarafsız olman gerekmez mi?"

"O yazımın senle ilgisi varsa şerefsizim."

"Sen orada benim yazıları okuyup budama yapıyorsun ama biz senin yazıları gazetede çıkınca okuyabiliyoruz.

Eğer kavga edeceksek eşit koşullarda edelim. Bazı yazdıkların yakışıksız kaçıyor."

"Sana ben de her gün yazılarımı yazdıktan sonra geçeyim, beni uyar. 'Şurasını koyma' de. Koyarsam şerefsizim."

"Öyle şey olur mu? Benim öyle bir yetkim, sıfatım var mı? Olsa bile bunu yapmam. Elbette yaz ama böyle isim vermeden kendi gazetende yazan bizleri hedef tahtası yapma. Bu biraz ayıp kaçıyor."

"Neyse, sen keyfine bak, dinlen. Şu aramızdaki tartışma ortamını biraz yatıştıralım. Tek ricam, hükümete fazla vurma be kardeşim. Gözünü seveyim, hem sen rahatla, hem de ben aranızda kalmaktan kurtulayım. Gel İstanbul'a, Çırağan'da bir içki içip rahatlayalım. Ben de biraz dünyamı yaşamak istiyorum. Geçen gün Sedat'a da söyledim... 'Şu Emin'le bir de sen konuşup ikna etmeye çalış' dedim. O kadar bunaldım yani. Sen merak etme. Sen marka gazetecisin. Bu gazetenin vazgeçilmez yazarısın."

Hasta yatağında idim ve yarım saati aşkın konuşuk.

Star televizyonunun satış onayını bekliyorlar. Acaba *Star*'ı da aldıktan sonra biraz rahat eder miyiz? Baskı ve iktidar övücülüğü biraz azalır mı? Sanmam... Çünkü Dışbank'ı satınca azalır diye düşünmüştük, değişen bir şey olmadı.

Türk basınında kara bir dönem yaşıyoruz. Medya patronlarının çoğu büyük işadamları. Pek çok işe daldılar ve hepsinin de ipleri hükümetin elinde. Korkmayan çok az.

Örneğin bizim gazetede Ankara bürosunda muhabir arkadaşların yazıp İstanbul'a geçtiği bir sürü dört dörtlük – fakat iktidarın hoşuna gitmeyecek– haber gazetede yer bulamıyor. Hepsi çöpe gidiyor. Niçin?

İktidar kızmasın, bize bozulmasın, üzerimize gelmesin ki işlerimizi yürütelim!

***

17 Ekim 2005 Pazartesi. Ankara'ya gelmiş. "Bekir, sen, ben üçümüz akşam Sheraton'da İtalyan restoranda buluşup yemek yiyelim" dedi. Buluştuk. Önce Bekir'e hitap etti:

"Bak arkadaş, seninle hiçbir sorunumuz yok. Senin yazılarından şikâyetçi değiliz. Sen rahat ol. Bizim sorunumuz Emin'le."

Bu uyanıklığı yaparak cepheyi önceden bölmeye çalışıyordu. Sonra bana söylediği aynı sözleri yeniden dinlemeye başladık. Bu sefer özellikle Tayyip üzerinde duruyor ve onu övüyordu:

"Tayyip'in üzerine gitmeyin. Eşini ve çocuklarını yazı konusu yapmayın. Onu rahat bırakın. Biz laiklik konusunda ödün vermeyiz. Ama ekonominin gidişine dokundurmam."

"İyi de, laikliği çiğneyenlerle ekonomiyi yönetenler aynı. Sen hükümeti savundukça laiklik arada kaynayıp gidiyor."

"Sen merak etme. Biz o dengeyi kurarız. Beyler, basında artık magazincilik geçerli. İnsanlar siyasetten, ciddi haberden, yolsuzluk yazılarından bıktı. Halk magazin istiyor. Bundan sonra *Hürriyet* böyle olacak. Bir *Kelebek* eki çıkardık, satışımız 50 bin arttı. Vuslat (patronun *Hürriyet*'in başındaki kızı) ikinizi de çok seviyor... Beyler unutmayın, patron temiz adamdır. Karanlık işi yoktur. Ama yasadan kaynaklanan bir hakkı varsa, onu elde etmek için ne gerekiyorsa her olanağını sonuna kadar kullanır. Bakın, benim yaptığım işi iyi bilin. Ben burada gazetecilik değil jonglörlük yapıyorum. Elimdeki beş topu yere düşürmeden havaya atıp tutuyorum."

"Daha önce de Hilton'da bize cambazlık yaptığını söylemiştin Ertuğrul."

"Aynen doğrudur. Cambazlık yapıyorum... Çünkü *Hürriyet*'i yönetmek Türkiye'yi yönetmekten daha zordur. Bunları iyi bilin."

Ertesi gün odama geldi:

"Kaçıncı defadır rica ediyorum, patronu bir ara da hatırını sor."

Acaba arayınca bir şey mi olacak? Bir şey böylesine ısrarla isteniyorsa, işin ucunda benim algılamaktan yoksun kaldığım bir durum mu var!

Sonunda aradım.

"Aydın Bey nasılsınız? Bir hatırınızı sorayım dedim."

"İyiyim Emin. **Vural Akışık**'la tavla oynuyoruz, 100 dolarını alıyorum."

"Oh ne güzel! Sizin şansınız iyidir."

Bir dakika kadar tavla muhabbeti oldu. Bu kadar. Sonra bir kez de, abisi vefat ettiğinde 2007 yılında başsağlığı dilemek için aradım ve 30 saniye kadar konuştuk. Aramızda başka bir telefon konuşması olmadı.

***

Bugün 19 Ekim 2005 Çarşamba. Ertuğrul yine beni yazıyor, köşesinde bana yanıt veriyor! Özetliyorum:

"Emin Çölaşan, Başbakan Tayyip Erdoğan'ın 'Ben Türkiye'yi pazarlıyorum' lafına takılmış. 'Bu Türkiye'yi satmak anlamına gelir' diyor. Ben bu yoruma itiraz ediyorum. Türkiye'yi pazarlamak terimi teknik olarak doğrudur.

Bir başbakanın Türkiye'yi pazarlaması da görevidir.

Keşke bugüne kadar bütün başbakanlarımız bunu yapsaydı.

Keşke cumhurbaşkanlarımız da Türkiye'yi pazarlasaydı...

Bugün büyük devlet adamlarının hemen hepsi ülkelerini pazarlamak için ellerinden geleni yapıyorlar. Artık böyle modern kavramlar üzerinden siyaset ve muhalefet yapmaktan vazgeçmeliyiz. Tam aksine, başbakanları Türkiye'yi daha iyi pazarlamaya teşvik etmeliyiz."

Tayyip'e bir mektup daha yazmıştı. "**Emin Çölaşan**'ı falan umursama, arkanda biz varız" demeye getiriyordu.

***

24 Aralık 2005 Cumartesi. Ulaştırma Bakanlığı muhabiri **Ümit Çetin** güzel, belgeli bir haber yakalamış. Bakanlıkta genel müdür yardımcılığına getirilen bir şahsın geçmişteki yolsuzluk belgeleri. Yer Sivil Havacılık Genel Müdürlüğü. Gazete bu haberi doğal olarak kullanmadı. Haber Ankara'dan üç gün üst üste üç kez geçildi ve her seferinde çöpe gitti.

Böyle kullanılmayan güzel haberler olduğunda, bunları yazan muhabir arkadaşlar bana gelirdi. O olayı ben yazardım. 23 Aralık günü bu olayı ben yazdım ve gazetede çıktı.

Öğle saatlerinde Temsilci Yardımcısı **Faruk Bildirici** odasından aradı:

"Abi, Ulaştırma Bakanlığından seni aradılar mı yazına açıklama için?"

"Aramadılar, ne olmuş?"

"Ertuğrul Bey senin yazıya çok kızmış."

"Niye kızmış?"

"'Bizim kullanmadığımız haberleri **Emin Çölaşan**'a verip yazdırıyorlar. Böyle rezalet olmaz' demiş."

"Kime demiş?"

"Enis'e demiş. Bana o söyledi." (**Enis Berberoğlu** bizim Ankara Temsilcisi.)

"Ertuğrul'un diyeceği bir şey varsa bana söylesin."

Belli ki telefon zinciri çalışmış ve mesaj bana iletilmişti. Birkaç saat sonra gerçek ortaya çıktı. İstanbul'da bugün kıyamet kopmuş. Çünkü aynı gün aynı doğrultuda bir yazıyı **Yalçın Bayer** de köşesinde yazmış. Yazdıklarımız tamamen doğru. O halde niçin böyle kıyamet kopmuştu?

Çünkü Pegasus Havayolları, **Aydın Bey**'in kızı **Vuslat Doğan Sabancı**'nın kocası yani patronun damadı **Ali Sabancı**'ya ait. Bizim yazı konusu yapıp hakkındaki belgeleri açıkladığımız şahıs, Sivil Havacılık Dairesi Genel Müdür Yardımcısı! Yani Pegasus'un her şeyi onun elinde!

Böyle bir haber *Hürriyet*'te çıkar mı? Zor çıkar!

***

Böylece geldik 2006 yılına. Benzer olayları bu yıl da aynen yaşadım. Onları tekrar etmiyorum çünkü üç aşağı beş yukarı aynı.

Bu yılın benim açımdan en önemli olayı; "birileri" banka hesaplarıma girdi! Ben böylesine yazdıkça, onlar elbette boş duracak değildi. Her türlü güç onların elindeydi. Hesaplara girmişler, didik didik etmişlerdi.

Dosya elime geçti. Birileri daha yayımlanmadan önce bütün belgeleriyle birlikte bana getirdi. Sadece benim değil, hoşlarına gitmeyen siyasetçilerin, gazetecilerin, işadamlarının da banka hesaplarına girilmişti. Ancak sadece bana ilişkin belgeler elime gelmişti.

Skandalın patlayacağını 1 Haziran 2006 tarihli yazımda yazdım. Ve bu konudaki yazılarımı sürdürdüm. Bir süre sonra bunları ismi cismi duyulmamış bir dergide, bire bin katarak ve "**Emin Çölaşan**'ın bankalarda dokuz milyon doları aşkın parası var" başlığı ile yayımlattılar. Dahası bana yurtdışından, kaynağı belli olmayan para havaleleri gelmişti!

Maliye Bakanlığına dilekçe verip kendimi ihbar ettim. Böyle bir paraya sahip olup olmadığımın, bugüne kadar yasa ve ahlak dışı bir gelir elde edip etmediğimin araştırılmasını istedim.

Türkiye'de kendisini Maliye'ye ihbar edip her şeyinin araştırılmasını isteyen belki de ilk kişiydim. Çünkü hayatta hiçbir açığım yoktu.

Hesap Uzmanları Kurulu Başkanı imzasıyla gelen yazılı yanıtta böyle bir araştırmaya gerek olmadığı bildirildi.

Cumhuriyet Savcılığı iddianame hazırladı, yazanlar hakkında Ağır Ceza Mahkemesinde dava açıldı. Mahkeme tarafından bankacılar ve hukukçulardan oluşturulan üç kişilik bilirkişi heyeti banka hesaplarımı inceledi ve hesaplarımda bu miktarda bir para olmadığını, adıma yurtdışından hiçbir havale gelmediğini, bunların beni kamuoyu önünde zor durumda bırakmak için yazıldığının anlaşıldığını belirtti.

Yazanlar 10 ay hapis cezasına çarptırıldı. Bu ceza 22 milyar lira para cezasına dönüştürüldü.

Akıllarınca benden bu düzmece haberlerle intikam alacaklardı, fos çıktı!

Üzerime bir yandan AKP iktidarı bir yandan kendi gazetem geliyordu.

Nelerle boğuşmak zorunda kalıyordum!

GELDİK 2007 YILINA!.. SON PERDE!

2007 yılında genel manzara şöyle: Gazetenin hiçbir çalışanında yıllardan beri heves, istek, kurumuna karşı bir gönül bağı yok. İstisnasız herkes yakınıyor. Bir yanda yüzlerce trilyon kâr eden yönetim, öbür yanda çalışanları en düşük maaşla kullanıyor. AKP'nin hoşuna gitmeyecek haberler çoğunlukla çöpe atılıyor. Elleri değdikçe adam çıkarıyorlar. Herkes sövüyor, herkes yakınıyor. Sohbet konularımızın yaklaşık tamamını, çalışanların bu yakınmaları oluşturuyor.

Bir arkadaş yemekte bağırıyor:

"Gazete batsın, patron iflas etsin, eğer şu kadar üzülürsem Allah belamı versin. Tek düşüneceğim şey, başka nerede iş bulurum ve kıdem tazminatımı alır mıyım, alamaz mıyım!"

Maaşlar yetmiyor. (Ben tuzu kuru azınlıktayım, böyle bir sorunum yok.) Verilen sözler tutulmuyor. Haberler gazeteye girmiyor. Hele hükümetin hoşuna gitmeyecekse, hemen hiç girmiyor. Okuyucular da bu iktidar yağcılığına, suskunluğa büyük tepki gösteriyor. Bana bu konuda her gün yüzlerce mesaj geliyor.

Onların tamamının çıktılarını **Sinan Aygün**'ün isteği üzerine Ankara Ticaret Odası'na verdim (kamyonla gönderdim). Kitap yapacaklar. **Aydın Doğan** ve **Ertuğrul Özkök** için yazılanların tamamı, hiç takmadıkları, önem vermedikleri o mesajlarda!

Doğan Medya Grubu'nda muhalefet yapan bir tek gazete var: *Gözcü*.

Gün geldi, zarar ediyor gerekçesiyle onu da kapadılar. Oysa grubun *Hürriyet* dışındaki bütün gazeteler ve dergiler grubu büyük zarar ediyordu. Televizyonların çoğu da öyleydi. Bula bula *Gözcü*'yü buldular çünkü hükümetten korkuyorlardı.

Gözcü'nün kadrosundaki arkadaşlar hemen ardından *Sözcü* gazetesini çıkarmaya başladılar ama patronu **Aydın Doğan** değil.

Patron bu yıl *Vatan* gazetesini de satın aldı. Sahip olduğu gazeteler 2007 sonunda şöyle:

Hürriyet, Milliyet, Posta, Radikal, Fanatik, Referans, Vatan.

Yazılı basının yaklaşık yarısı. Tekelleşme denilen olayın ta kendisi.

Sahip olduğu televizyon kanalları (eksiğim olabilir):

Kanal D, CNN Türk, Star.

Öbür yanda POAŞ, İstanbul Hilton... Hilton arazisine gökdelenler dikmek için beklenen izinler... Enerji ihaleleri, özelleştirme işleri, yurtdışında satın alınan şirketler...

Grup çok büyümüş, büyüdükçe AKP hükümetine olan ihtiyacı (!) artmıştı. Muhalefet yapmak mümkün değildi.

Onların hoşuna gitmeyecek haberleri kullanmak, büyütmek, artık çok zordu.

Oysa ellerindeki inanılmaz medya gücünün farkında değillerdi. İktidar onlardan korkacağına, onlar iktidardan korkuyordu... Ve işin ilginç yanı, çalışanların hemen hiçbiri iktidardan yana değildi. Ancak kimsenin elinden bir şey gelmiyordu.

Etkili yerler, köşelerin çoğu, ekranların hemen hemen tamamı, iktidar yandaşlarına bırakılmıştı.

Mehmet Ali Birand, Hasan Cemal, Çetin Altan, Mehmet Barlas, Cengiz Çandar, Hadi Uluengin, Cüneyt Ülsever, Taha Akyol ve daha niceleri!..

Aydın Bey, artık eski **Aydın Doğan** değildi. Hayatı, büyük parasal çıkarlarına endekslenmişti. AKP döneminden önceki **Aydın Doğan** gitmiş, yerine sanki bir başkası gelmişti. Kendisine ait bazı yayın organlarında "fikir ve ifade özgürlüğü" adına Kürtçülük, Ermenicilik, şeriatçılık, Fethullahçılık bile yapılıyordu. **Hırant Dink** cinayeti sonrasında *Tempo* dergisinin 25 Ocak 2007 tarihli sayısının kapağında Ermeni harfleriyle yazılar vardı. *"Hepimiz Ermeniyiz"* sloganları atılıyordu. Cinayet kınanırken işin dozu kaçıyor ve Aydın Bey bunları görmüyordu.

Halk *CNN-Türk* televizyonuna "CNN-Kürt" adını takmıştı.

Görülen sadece benim yazılarımdı!.. Ve yazılarımın sadece sayfası sabit kalıyor, biçimi her gün değişiyordu. Bazen sayfanın en tepesinde soldan sağa, bazen aşağıya doğru ince uzun, bazen kalın ve şişman! Birkaç kez uyardığımda Ertuğrul hep aynı yanıtı verdi:

"Ne yapalım, ilan giriyor. Firmalar ilanlarının en çok okunan senin sayfada basılmasını istiyor. Senin yazıları da ilana göre kullanıyoruz."

Ekonomi sayfalarında pembe tablolar çiziliyor, yağ bal damlıyor, iktidara övgüler düzülüyordu. Ben Tayyip'in yerinde olsam, özellikle o sayfaları yapan arkadaşların heykelini bir yere diktiririm!

Gazete magazine dönüşmüştü. Cinayet, tecavüz, baldır bacak magazin dedikodusu... Muhabir arkadaşlar bazı konularla "bu haber nasılsa gazeteye girmez" diye ilgilenmiyorlar. Haklılar. Yazdıkları haberlerin çoğu da girmiyor. Bazı haberler var, magazin içerikli, onların hem de büyük kullanılacağını hepimiz bir gün önceden biliyoruz!

İşin ilginç yanı, gazeteye –istihbarat servisine– halktan ve okurlardan haber, ihbar vesaire gelmiyor. Eskiden öyle değildi. Demek ki gidişi toplum da kanıksamış, ilgi göstermiyor.

***

Fatih Çekirge gazetenin internet sayfasının başına getirildi. Bir gün Ankara'da sordum:

"Fatih, gazetenin en çok hangi yazarı tıklanıyor internette?"

"Emin abi açık ara birincisin. İnanılmaz bir şey. Keşke sana rakamları verebilsem de görsen."

Rakamlar gizliydi. Onları hiç öğrenemedim!

Ben artık yorgun düşmüştüm. Aşkla bağlı olduğum meslekten giderek soğuyordum. Zirveye çıkmıştım ama olanları gördükçe midem bulanıyordu. Sadece ben değil, herkes soğumuştu. Ancak kimsenin ses çıkarma, tavır koyma gücü yoktu. Demokles'in işsizlik kılıcı herkesin başının üzerinde sallanıyordu.

Bütün bu yaşadıklarıma karşın yine de gece gündüz çalışıyordum. Hastalanma hakkım yoktu. Yeterince tatil yapamıyordum. Yönetim izin vermediği için değil, kendi görev anlayışım nedeniyle. Her gün önüme yüzlerce mesaj geliyor, dosyalar gönderiliyor, telefonlar yağıyor. Tek başımayım ve başedemiyorum. Bu yükün altında bazen eziliyorum.

Ve şunu çok iyi biliyorum: Benim patronum okuyucudur, *Hürriyet* gazetesinin okurlarıdır.

Pazar günleri ART (Avrasya) kanalında **Mustafa Balbay**'la canlı yayın yapıyoruz. Bir de canlı yayın gerilimini yaşıyorum ve tatil günüm sıfıra iniyor.

Önümüzde Cumhurbaşkanı seçimi var, genel seçim var. 2007 yılında çok yoğun bir dönem beni bekliyor.

(Bu kitapta sadece kovulmama ilişkin bizzat yaşadığım olayları anlattığım için, bu doğrultudaki başka konulara burada girmiyorum. Çünkü girersem konu çok dağılır.)

***

2007 yılı Şubat ayının benim için manevi anlamda çok büyük önemi var. 7 Şubat 1977 günü *Milliyet*'te gazeteciliğe başlamıştım. 7 Şubat 2007 günü bu meslekte tam 30. yılım dolacak.

O gün için özel bir yazı hazırlayacağım ve bir anlamda gazetecilikteki 30 yılımın hesabını vereceğim.

Bir yazıya ne kadarı sığarsa, o kadarını. Kafamda hep o yazı var.

Ocak ayın yine gergin başladı. Biri AKP milletvekili **Ömer Çelik**, diğeri Tayyip ve AKP ile ilgili iki yazı yazdım, çok kızdılar. **Ömer Çelik**, tartıştığı bir THY çalışanını isten attırmıştı.

Tayyip, kurban bayramını bütün Türkiye'ye astırdıkları ayyıldızlı posterlerle kutluyordu. Fotoğrafıyla birlikte yayımladım. Oysa Bayrak Kanunu uyarınca bu yasaktı. Siyasi partiler Türk bayrağını afişlerde, posterlerde kullanamazdı. Tayyip bu yazım için dava açtı. Ceza davasında ilk celsede beraat ettim. Tazminat davasını –her nedense!– Tayyip ve AKP olarak iki ayrı dava halinde Üsküdar adliyesinde açtılar. Tayyip Ankara'da, AKP Genel Merkezi Ankara'da, avukatları Ankara'da, ben Ankara'dayım ve dava Üsküdar'da açılıyor! Acaba niçin! (Bu kitabı yazdığım zaman tazminat davası devam ediyordu.)

Ertuğrul yine aramaya başladı:

"Yine yazıyorsun bunları be kardeşim, bin defa rica ettik yazma diye. Ondan sonra başımıza bela açıyorsun. Geliyorum Ankara'ya."

16 Ocak 2007 Salı. Geldi. Sheraton'da kalıyormuş, otelde buluşmamızı istedi. Yazımı henüz yazmamıştım. Bitirince geleceğimi söyledim. Biraz sonra yine aradı, gazeteye geleceğini, benim odada buluşacağımızı söyledi. Saat 15.00'te geldi. Çay söyledik. Derhal konuya girdi.

"Bak arkadaş, hükümetin POAŞ'ta üzerimize nasıl geldiğini görüyorsun. Biz de önlem almak zorundayız. Şimdi bugün sana çok önemli bir şey için geldim. Aydın Bey'in sana çok selamları var ve ayrıca senden çok önemli bir ricası var. Dedi ki 'Emin benim eski arkadaşımdır, bunların kendisine kesin olarak iletilmesini istiyorum.' Şimdi sana onları aynen aktaracağım ve karar vermeni isteyeceğim.

1) Başbakan, Maliye Bakanı ve hükümet hakkında yazı yazma. Bizim bunlarla işimiz var.

2) İstersen uzun süreli izne çık ve bir süre yazma.

3) İstersen gazeteden tümüyle ayrıl. Bu takdirde Aydın Bey sana yüklü bir para verecek. Patron diyor ki 'Emin'e istediği her türlü olanağı sağlayalım, gelecek kaygısı olmasın.'"

Bana birdenbire üç seçenek sunmuştu... Yerimden kalktım ve masama gidip kâğıt kalem aldım...

"Dur bir dakika, şu seçenekleri yazayım da, sonra unutmayayım."

Şiddetle itiraz etti...

"Ne yapıyorsun, burada tutanak mı tutacağız! Bırak kâğıdı kalemi şimdi.

Bunlar bizi batıracak. Tahkikat komisyonları kurdular, üzerimize geliyorlar. POAŞ olayında korkunç para cezaları var. Dava açsak bile parayı yatırmamız lazım. O yüzden yayın politikasını biraz daha yumuşatmamız gerekiyor."

"Peki bu olanların sorumlusu ben miyim?"

"İkimiziz. Senin yazılar ve benim attığım manşetler."

"Sen hangi manşeti attın da kızdırdın onları? Var mı böyle bir şey!"

"Neyse sen bırak manşetleri şimdi. Eğer yazacaksan, Tayyip ve hükümet hakkında yazma. Ben de manşetleri yumuşak götüreceğim."

"Peki ne yazayım? Sen benden kişiliğimden ödün vermemi istiyorsun. Okuyucu ne der?"

"**Doğan Grubu** batarsa, *Hürriyet* yok olursa, okuyucu ne yapacak?"

"Peki ne kadar süre yazmayayım?"

"Biz düze çıkana kadar."

"Ne zaman düze çıkılacağı belli mi?"

"Değil."

"Eeee, o halde ben nereden bileceğim ne zamana kadar yazmayacağımı veya ne yazıp yazmayacağımı?"

"Arkadaş, benimle polemik yapma. Ben bu odaya seninle tartışmaya gelmedim. En ufak bir anlayış göstermiyorsun, bizim yaşadığımız zorlukları dikkate almıyorsun. Aynı şeyleri öteki arkadaşlara da söyledim, kabul ettiler. (Burada tek tek isimleri veriyor.) Tek karşı çıkan sensin. Ama istersen bakanlıklarda veya belediyelerde yolsuzluk falan olursa arada bir onları yaz. Arada sırada hükümeti de yumuşak bir dille eleştir. Sen buldozer gibi giriyorsun, çok bozuluyorlar."

"Benim okuyucu gözünde belli bir kişiliğim var. Ben Tayyip ve iktidarı, bu dönemde olanları eleştirmezsem ne yazacağım? Nasrettin Hoca fıkrası mı? Sonra bizim okuyucumuz beni topa tutmaz mı?"

"Hep aynı lafları söylüyorsun. Bizi batıracaklar diyorum, senden anlayış bekliyorum, arkadaşça yalvarıyorum, sinirleniyorsun."

"Varsayalım hükümeti eleştirmek zorunda kaldım. O zaman ne olacak? Benim yazıları İstanbul'da yine sansür mü edeceksin? Ya da koymayacak mısın? En azından yazı-

ları geçtiğimde Ankara'daki ve İstanbul'daki arkadaşlar ekrandan okuyor. Makası yiyince onlara rezil oluyorum."

"Sen yazılarını gizli kanaldan geçersin, Ankara Bürosu görmez. (Bunu hiçbir zaman yapmadım.) Sonra geçtiğin yazıyı ben okurum, telefonlaşırız ve ikimiz karara bağlarız."

"Yani ben her gün yazımı geçeceğim, sen okuyacaksın, beni telefonla arayacaksın ve 'şu cümleyi çıkar, burasını yazma' diyeceksin ve tartışacağız, öyle mi?"

"Aynen öyle."

"Ben o işe gelmem. Buna razı olmam. Böyle pazarlık ederek gazetecilik olmaz."

"Her şeyi sadece kendi açından değerlendiriyorsun. Bak arkadaş, bunlar bizi batıracak. Üzerimize fena geliyorlar. Milyar dolarlık cezalarla geliyorlar. Öbür yanda *Sabah*'ı koruyorlar, *Akşam* grubuna bir sürü kıyak yapıyorlar. Dava açmak da fayda etmiyor. 'Sen davanı aç ama önce cezanı yatıracaksın' diyorlar. Davanın bitmesi dört yıl alıyor."

"Yani davalar bitene kadar mı eleştirmeyeceğim?"

"Lütfen bir de kendini benim yerime koy. *Hürriyet*'i yönetmek inan ki Türkiye'yi yönetmekten daha zor. Dengeleri ben kurmak zorundayım. Sana yalvarıyorum, arkadaşça rica ediyorum. Cin gibi gazetecisin. Başbakanı ve hükümeti eleştirme, bizim elimizi biraz olsun rahatlat. Biz batarsak nice kurumlar batacak, nice insan işsiz kalacak."

"Arkadaş, önümüzde mayıs ayında cumhurbaşkanı seçimi var, sonrasında genel seçim var. Bütün Türkiye'nin odağında da bir tek Tayyip var ve onun hükümeti var. Ben

bunları yazmazsam okuyucu indinde rezil olurum. Sen kendi gazetenin okuyucusunu bile hiç tanımıyorsun."

"Biraz sabret, önümüzü görelim be kardeşim."

"Sabredeyim de, ne zamana kadar?"

"Ben de bilemiyorum. Sonra gereğini hep birlikte yaparız, zamanı gelince üzerlerine beraberce gideriz."

"Ben yazmasam, yumuşak yazsam, eleştirmesem sizin açınızdan durum değişecek mi, düzelecek mi? Bu baskılar duracak mı?"

"Benle polemik yapma be kardeşim. Sana üç seçenek sundum. Şimdi kararın nedir?"

"Bilmiyorum. Sen bana Aydın Bey'in seçeneklerini getirdin, bundan sonrasını düşünürüm."

"Hayır, asla onun seçenekleri değil. Ben arkadaşça öneriyorum sana."

"Ama konuşmana başlarken onun selamını ve mesajını getirdiğini söylemiştin."

"Hayır, bunlar benim önerilerim. Beni lütfen anla. Hükümet bizim karşımızda nasıl sörf yapıyorsa, biz de aynı şekilde sörf yapmak zorundayız. Yoksa bizi batıracaklar, hep birlikte batacağız. O zaman daha mı iyi olacak? Sen yazılarına dikkat edeceksin, ben de gazetenin manşetlerini yaparken, gazeteye giren haberlere dikkat edeceğim. Bunu yapmak zorundayız."

"Peki biz bundan sonra benim her yazımdan sonra seninle pazarlık mı yapacağız? Yani sen düzeltme mi yapacaksın?"

"Evet öyle."

"Arkadaş ben senin üç seçenekli mesajını aldım."

"Kararın ne? Ben senden kararını öğrenmeye geldim."

"Şu anda hiçbir kararım yok. Sonra bakarız."

"Yalnız gözünü seveyim, izne çıkacaksan 2004 Mart olayı gibi olay yaratma. Öyle 'kovuldum' izlenimi verme. Okuyucuları kışkırtıp başımıza yine iş açma."

"Ben kimseyi ne o zaman kışkırttım, ne de bugün kışkırtırım."

"Belki bu konuşmamızı ileride bir yerlerde yazarsın. İstersen yazdıklarınla üzerimize de gelip bizi zor durumda bırakırsın. Tercih senindir."

Konuşmamız 40 dakika sürmüştü.

İşleri bu duruma getiren, milyarlarca dolarlık cezaları, maliye denetimlerini yönlendiren, grubun başına gelenlerin sorumlusu demek ki tek başıma bendim (!) ve bir kez daha susmamı istiyorlardı.

Fakat bu kez karşıma çok ilginç, çarpıcı ve ayıp dolu bir seçenek getirilmişti. Gazeteden istifa ettiğim takdirde yüklü bir para öneriyorlardı. Böylesine ilk kez tanık oluyordum.

Konuşmamız boyunca birkaç kez hangi seçeneği tercih ettiğimi sordu.

Hele üçüncü seçeneğe tav olmak, benim adıma yüz karası olurdu. Üçüncüyü kabul edersem kaç para vereceklerini sormadım, o da söylemedi. Ama yüzde yüz inanıyorum, kafasında büyük bir rakamla gelmişti...

Ve pazarlık payı vardı!

Para karşılığında istifayı kabul ettiğimi söyleyip pazarlık yapsam, Ertuğrul o anda dünyanın en mutlu insanı olacak ve yanımdan çıkar çıkmaz **Aydın Doğan**'ı arayacaktı:

"Müjde patron, kabul etti! Şu kadara bağladık. Gözümüz aydın. Bir beladan kurtulduk."

Asansöre götürüp uğurladım. İkimiz de tuhaftık! Karşımda ezikti.

Koskoca **Doğan Grubu** bu durumlara düşmüştü.

Benden 15 dakika sonra tekrar ikimizin olduğu kata çıkıp Bekir'in yanına girmiş. Ona seçeneksiz, daha yumuşak konuşmuş. "Eleştiri yapma" demiş.

Olay iyice açığa çıkmıştı. Beni tasfiye edeceklerdi. Şimdi bahane de hazırdı: Hükümet POAŞ'tan üzerimize geliyor!

Belli ki Tayyip ve iktidar benim için bastırıyor, susturulmamı istiyordu. Açıkça kovmaktan da korkuyorlardı çünkü olay büyüyecekti. Mart 2004'te yaşadıklarını elbette unutmamışlardı.

Bu olay sonrasında yine pek çok insanla konuşup olanları anlattım. Kimle konuştumsa hep aynı şey söyleniyordu: "Sakın ayrılma, mevziyi terk etme." Bir süre hepimiz kan kusacağız, kızılcık şerbeti içtik diyeceğiz.

Evet, benim için 7 Şubat yazım çok önemliydi. "**Gazetecilikte 30. yıl...**" İzne çıkarsam o yazıyı yazamayacaktım. Oysa ben o yazımda 30 yılın hesabını bir yazıya sığdırıp verecektim.

Bekir'le konuştum. O da "Yazmaya devam et, sakın bırakma" dedi.

Aradakileri saymıyorum, AKP iktidarı döneminde bu büyük depremi dördüncü kez yaşıyordum.

Eylül 2003 İstanbul'da **Aydın Doğan**, Mart 2004 Ankara'da izin krizi, Eylül 2005 Hilton 301 numaralı oda, ve şimdi...

Cumhuriyet rejimi neredeyse elden gidiyordu, bunlar ise parasal çıkarlarını düşünüp korkuyordu.

Aslında uzun süreli izne ayrılmayı isterdim. Çok yorgundum. Ama 30. yıl yazımı bekliyordum. İzne ayrılırsam o yazı da çıkmayacaktı.

***

25 Ocak 2007 Perşembe. Maliye Bakanlığında birileri çok sayıda siyasetçi, gazeteci ve kamu görevlisinin banka hesaplarına girmiş. Ve bunu her nedense Maliye Bakanlığı resmen açıkladı. Hesaplarına girilenler arasında Cumhurbaşkanı ve Genelkurmay Başkanı bile var. Skandal patladı. Bütün gazete manşetlerinde, televizyonların ilk haberlerinde bu rezalet var. Bu konuda ilk olayı ben yaşamıştım. İlk kez benim başıma gelmişti!

Oturup yazımı yazdım. Başlığı: "**Soruyorum**"

Aynen şöyle:

"Maliye Bakanlığı tarafından yaratılan skandalı bundan tam yedi ay önce gündeme getirmiştim. Ancak bunun öncesi vardı. Maliye Bakanı Unakıtan'ın, iktidara en yakın gazetelerden Yeni Şafak'ta manşetten yayımlanan sözleri ilginçti:

'Deniz Baykal'ın banka hesaplarında yüklü para var.'

Baykal kendisini mahkemeye verince bu sözünü inkâr etti. Hatta kendisi de Yeni Şafak'ı mahkemeye verdi! Unut-

mayalım, Maliye Bakanlığı bir yazı yazıp isteyince, istediği her kişinin banka hesapları bütün dökümleriyle önüne gelir.

Başbakan 25 Mart 2006 günü partisinin Güngören ilçe kongresinde konuştu ve medyaya çattı:

'Her zaman yine başbakanın gündeminde medya var diyorlar. Senin (medyanın) *gündeminden başbakan düşmüyor ki. Tabii ki sen de* (medya) *gündemde yerini alacaksın. Niye? Gerçekleri yazmıyorsun da onun için. İftira kampanyasına benim bakan, milletvekili arkadaşlarımı tâbi tutarsan, bu geminin kaptanı da* (başbakan) *bunun cevabını size verecektir yeri geldiği zaman. Böyle bileceksin. Zaman zaman başbakan açıklasın diyorlar. Onun taymingi* (zamanlaması) *bana aittir. Zamanı geldiğinde onu açıklamasını da gayet iyi biliriz. Nasıl* (medyanın) *kendinize göre arşivleriniz varsa, benim de kendime göre arşivlerim var. Zamanı geldiğinde onları da açıklarız.'*

Bu gelişmelerin ardından benim banka hesaplarına girilme olayı gündeme geldi. Pek çok gazeteci ve siyasetçinin mal varlığının didik didik edildiğini, bir skandal patlayacağını 1 Haziran 2006 tarihinden başlayarak defalarca yazdım. 11 gazeteci ve 14 siyasetçinin banka hesaplarına girildiğini, bunların AKP'li bir büyükşehir belediye başkanına ayrıca servis edildiğini, şantaj amaçlı kullanılacağını ve açıklanacağını vurguladım.

Nitekim açıklandı! Benim banka hesaplarımı bire bin katarak, abartarak, uçuk rakamlarla Zaman gazetesine verdiler. Yayımlamak büyük suçtu, Zaman yayımlamadı. Sonra bir dergiye verip onlara yayımlattılar.

Ben bu devlet skandalını 1 Haziran 2006 tarihinden itibaren, henüz patlamadan önce –ve sonrasında– defalarca yazdım. Devletten, Maliye'den bir tek Allah kulu bana gelip bilgi istemedi. Maliye Bakanı ses vermedi... Niçin?

Çünkü skandalın ardında devleti yöneten birileri vardı.

Şimdi rezaleti kendileri açıklamak zorunda kaldılar. Hem de ek bilgilerle!

'Parti liderleri ve gazeteciler dışında Cumhurbaşkanı, Başbakan, Genelkurmay Başkanı, Maliye Bakanının da dökümlerine girilmiştir!'

Önceki gün bu skandalı niçin Maliye'nin açıklamak zorunda kaldığını hiç kimse anlayabilmiş değil. Bilmediğimiz bir şeyler oldu da, ne oldu?

Tasfiye ettikleri, görevden aldıkları bürokratlar, iktidarla arası olmayan kişiler. Onları suçluyorlar! Örneğin Tayyip Erdoğan'ın 'Kendisine kefilim' dediği Yasin El Kadı soruşturmasını yürüten Maliye Başmüfettişi Hamza Kaçar. Ya ötekiler? Kendi yaptıkları açıklamaya göre hesaplara Türkiye'nin dört bir yanından Maliye'ye bağlı en az 70 birimden ve yüzlerce kez girilmiş. Öteki sorumlular, korsanlar, yasaları çiğneyenler nerede?

Şimdi soruyorum: Bu yasa dışı işi kendiliğinden yapacak kaç bürokrat olabilir? Banka hesaplarına ve dökümlerine, vergi kayıtlarına, gayrimenkul listelerine yüzlerce kez girilirken, bu korsanlığın, siyasi iradenin teşviki, göz yumması, onayı ve icazeti olmadan yapılması mümkün müdür?

Skandal (2006'da benim olayım) patlamadan iki gün önce, Ankara Büyükşehir Belediye Başkanı İ. Melih Gökçek bana mesaj atmıştı ve şöyle diyordu: 'Banka hesap numaralarını ve gayrimenkullerini sıralamanı istiyorum. Sana yurtdışından gelen bir havale var mı? Şayet varsa kimden ve kaç para geldi, onu açıkla.'

Küstahlığı görüyor musunuz! Hayatım boyunca ne yurtdışından, ne de yurtiçinden kendime ait olmayan bir paranın havalesi gelmedi ve almadım. Bu yalanları yazanlar Ağır Ceza Mahkemesinde yargılanırken, devreye bu şahıs giriyor ve beni sorgulamaya kalkışıyor. Kimin adına!?

İşin nerelere getirildiğine bakın! Bunları hangi sıfatı ve yetkisiyle soruyordu? Ona bunları kimler sorduruyordu, kimler?.. Ve işe bakın ki, bana gönderdiği bu mesajı gazetelere gönderiyor, ayrıca Ankara Büyükşehir Belediyesi haber merkezi aracılığı ile medyaya dağıtıyordu. Skandalın patlamasından sadece iki gün önce!

Şimdi bir kez daha sorayım: Bu olanların ardında siyasi destek, siyasi irade var mı, yok mu?

Türkiye'de nice iktidarlar geldi geçti. Ancak bugünkünün dışında hiçbiri, siyasi karşıtlarının banka dökümlerine, taşınmaz listesine, vergi dökümlerine girmeyi akıl edemedi! Dikkat ediniz, Maliye Bakanı bu olaydan sonra hiçbir açıklama yapmıyor! Bundan sonra o makamda kalabilir mi? Ne diyorsunuz?

Burası Türkiye! Ben kalacağını söylüyorum. Bekleyin görün."

***

Bu yazıyı yazıp İstanbul'a geçtim. Aynı gün (25 Ocak 2007) saat 19.00'da başöğretmenimiz Ertuğrul beni evden aradı. Bu kez Davos'ta imiş:

"Yarın çıkacak yazında yine Başbakan ve Maliye Bakanını hedef almışsın. Ben bunu gazeteye koyamam."

"Niye koyamazsın? Hakaret mi var, yalan mı var?"

"Hiçbiri yok ama koyamam. Şimdi senden rica ediyorum, oturup bir yazı daha yaz."

"Yine mi korktunuz! Koymuyorsan koyma. Bu saatten sonra ne yazısı yazacağım ben? Zaten gazete baskıya girdi. Kıbrıs, taşra, Almanya baskıları dönüyor. Benim yeni yazı yazmam gece saat 21.00'i bulur. Yarın yazım çıkmaz, olur biter. Kendini hiç yorma sen."

"Yazını görmeyince okuyucular yine kıyameti koparır, başımı belaya sokarsın. Sana arkadaşça yalvarıyorum, gözünü seveyim bir yazı daha yaz da hiç değilse şehir baskılarında onu kullanalım. Lütfen kırma beni."

Evet, yine korkmuşlardı.

Ertuğrul gerektiğinde alttan almayı, ikna etmeyi çok iyi bilirdi.

Kabul ettim. Gazete ile ev çok yakın. Yeni bir yazı yazmak için gazeteye gidiyorum. Yolda düşündüm. Banka hesaplarına girilmesi rezaletini ilk kez 1 Haziran 2006 tarihli yazımda duyurmuştum. O yazıyı bir kez daha geçeceğim, şehir baskılarında o çıkacak. Gazeteye gelip yazımı arşivden çıkardım ve onu geçtim.

Fakat gelin görün ki, Allah kahretsin (!), o yazıda da Tayyip ve Unakıtan'ın isimleri –az da olsa– geçiyordu. Onlarsız iş olmuyor ki!

O eski yazıyı İstanbul'a geçtim. Başlığı "**Skandal Şimdi Patladı**".

Bu yazımı da Davos'ta kendisine ânında iletmişler. Onu da makaslamıştı.

1 Haziran 2006 tarihli yazımda yer alan şu cümleler, 26 Ocak 2007 tarihli yazımdan çıkarılmıştı:

"Olanların ve olacakların hesabını Başbakan ve Maliye Bakanı vermekle yükümlüdür...

(Ve son cümle) *Bu rezaletin hesabını kim verecek? Başbakan mı, Maliye Bakanı mı, başkaları mı?"*

Bu makaslanmış yazı sadece şehir baskılarında vardı. Erken baskılarda yazım zaten çıkmamıştı. O gün arkadaşlar, santralların yine kilitlendiğini söylediler. İlk baskıları okuyan Türkiye'nin dört bir yanından herkes niye yazım yok diye soruyormuş. Santrallara sordum. "Kilitlenmedi ama çok yoğun arayış var" dediler.

Aynı gün *Hürriyet*'te Ertuğrul'un "**Claudia Schiffer'le Bir Gece**" başlıklı yazısı yer alıyordu. Davos'ta hanımefendi ile tanışmış, muhabbet etmiş, güzel bir gece geçirmişler.

Belki Claudia Hanım'la randevusuna biraz geç kalmışsa mazereti mutlaka hazırdı: "Kusura bakmayın, başımda **Emin Çölaşan** diye bir bela var, onun yazısıyla uğraşıyordum!"

Ben nelerle boğuşuyordum, elâlem ne hayat yaşıyordu!

***

Şubat 2007. Gazete ile sıkıntımız internet sitelerine yansıdı. Karşıma konulan üç seçeneği herkese anlatmıştım. Olay iyice duyuldu. İnternet siteleri bu olayla dolup taşıyor.

Ben 6 Şubat gününün gelmesini bekliyorum. O gün "**30. Yıl**" yazımı geçeceğim ve ertesi gün çıkacak. Daha önceden yazdığım ve defalarca okuyup üzerinde düzeltmeler yaptığım yazıyı çok şükür geçtim. Bu yazı çıkmasaydı içimde büyük bir boşluk ve eksiklik kalacaktı.

Ertuğrul İstanbul'dan aradı:

"Bu yazıyı beklediğini biliyordum. Lütfen artık izne falan çıkma. Ben Ankara'ya geliyorum, yarın Sheraton'da buluşalım. Olay yine internetlere düştü. Başıma iş açıyorsun."

"Valla gel istersen ama ben bir izin yapayım. Hem siz rahat edin, hem de Tayyip mayyip rahat etsin."

"Sen bekle, yarın konuşuruz."

Aynı filmi bir kez daha izleyecek, aynı plağı bir kez daha dinleyecektim.

Ertesi sabah yazım çıkmıştı.

Başlığı "**Gazetecilikte 30 Yıl**"

"Sevgili okuyucularım, bugün benim için manevi açıdan çok önemli bir gün. Bunu sizlerle paylaşmak istiyorum. Gazeteciliğe 7 Şubat 1977 günü Milliyet'te başlamıştım. Bugün 7 Şubat 2007 ve bu meslekte tam 30 yılım doldu. Şimdi 30 yılımın kısacık özetini bir yazıya sığdırmaya çalışacağım. Lütfen her sözcüğünü 'dikkatle' okuyun.

Mesleğe Milliyet'te ekonomi muhabiri olarak en alttan başladım. Hiçbir yere paraşütle indirilmedim, torpille gelmedim. Tırnaklarımla kaza kaza, gece gündüz çalışarak, emeğim, alın terim, göz nurum, beynimle geldim. Bir gün olsun kaytarmadım. Hiç kimsenin, belli ekiplerin adamı olmadım.

İlk gazetemdeki güzellikler yanında, beni boğmak ve ezmek için çok çaba harcadılar, başaramadılar. Milliyet serüvenimi 'Önce İnsanım Sonra Gazeteci' isimli kitabımda anlatmıştım. Milliyet'te ekonomi muhabirliği yaparken, bir süre sonra pazar günleri uzun söyleşiler yapmaya başladım. Yaptığım her iş ilgi gördü ve ismim giderek tanındı.

1985 yılında Erol Simavi'nin transfer teklifiyle Hürriyet'e geçtim. 1989'da köşeyazısı yazmaya başladım. Köşe yazarlığında 17, Hürriyet'te 22 yılım doldu. Burası benim 30 yılda ikinci gazetem ve Hürriyet'te olmaktan hep onur duydum. Nice çok yüksek transfer tekliflerini reddettim. Taş yerinde ağırdır.

Üç patronla çalıştım: Milliyet'te kısa süre Ercüment Karacan, Milliyet'te Aydın Doğan, Hürriyet'te Erol Simavi ve yeniden Aydın Doğan.

Mesleğimde hiç kimseye hava atmadım, gösteriş yapmadım, şımarmadım, hiç kimseyi sömürmedim. Sadece iyi bir ürün sergileyen meslektaşlarımı kıskandım. Kim olursa olsun ezene ve haksıza karşı çıktım, ezilenin ve haklının yanında yer aldım. Hep egemenler, güçlüler, para babaları ve iktidarlarla boğuştum. Garibanın üzerine asla gitmedim. Ülkemin ve milletimin çıkarları ve onuru

doğrultusunda, Atatürk'ün aydın izinde, kelle koltukta, asla korkmadan yazdım.

Hırsızların, yolsuzluk yapanların, üçkâğıtçı siyasetçilerin, milleti soyanların, din tüccarlarının, bölücülerin üzerine gittim. Hakkımda nice davalar açıldı.

Lüks yaşamım asla olmadı. Davetlerde, resepsiyonlarda, gece hayatında hemen hiç bulunmadım! Egemenlerin sofrasında yer almadım. Hiç kimseyle yüz göz olmadım, övgüler düzmedim, yalakalık yapmadım.

Meslek büyüklerime ve küçüklerime saygısızlık yapmadım, kıskanmadım, kulislerde entrika çevirmedim, kimsenin altını sinsice oymaya kalkışmadım. Hata ve eksiklerimden ders almayı bildim.

Kursağıma bir kuruş haram, yasa dışı, ahlak dışı, kural dışı para girmedi. Yurtdışında malım, param hiç olmadı. Her iktidar döneminde çok açığımı aradılar, bulamadılar. Bu dönemde ise banka hesaplarıma bile girip didik didik ettiler.

16 kitabım bugüne kadar bir milyona yakın sattı. Muhteşem bir rakamdır. Ömrüm boyunca kitaplarım, gazeteden yapılan maaş, ikramiye ve öteki ödemeler, iki kira geliri, kazandığım tazminatlar, televizyonlardan aldığım para dışında başka bir yerden gelirim olmadı. Bir kuruş olsaydı yanmıştım!.. (Ve hepsinin her kuruş vergisi ödenmiştir.) Bazen iftira atmaya yeltendiler, geri tepti!

Gücümü hem siz sevgili okuyucularımdan, hem de kendimden aldım. Kendimden aldım çünkü her şeyimle temizdim. Geçmişimde, yaşantımda, ailemde en ufak bir açık-leke bulsalardı beni mahvederlerdi. Çok aradılar

ama ne yazık ki bulamadılar! Bizim meslekte bir kural vardır. Açığı olan köşe yazarı korkar, hiç kimsenin üzerine gidemez, eleştiremez. Hele iktidarların, egemenlerin, güçlülerin, namussuzların üzerine asla gidemez! Aksi takdirde başına gelecekleri, onu nasıl geçmişi ve açıkları ile tehdit edip susturacaklarını iyi bilir! Biz de o arkadaşların kim olduğunu iyi biliriz!

30 yıl boyunca bir gün olsun gazetecilik gücümü kullanarak kendim, herhangi bir kişi veya kurum adına iş takibi yapmadım, iş bitirmedim. Bunu önerecek bir babayiğit zaten karşıma çıkmadı ve çıkamazdı.

Bütün meslek yaşamım güzel mi geçti? Muhteşem, acı tatlı anılarım elbette çok oldu. Ama bir bölümü de boğuşmakla, doğrudan ve dolaylı baskılarla beni ezmek, sindirmek, susturmak, tasfiye etmek için çaba harcayanlarla mücadele vererek geçti. Allah'a bin şükür, her mücadeleden açık alınla çıktım.

Bu acımasız kurtlar sofrasında hiç kimseye yem olmadım, baş eğmedim, eğilip bükülmedim, ilkelerimden, inançlarımdan ödün vermedim. Dönek olmadım, korkmadım, kıvırtmadım, alttan almadım, namussuzluk yapmadım, doğru bildiğim yoldan dönmedim, ruhumu ve kalemimi satmadım. Aksini iddia eden varsa ortaya çıkar!

Bu iddialı yazıyı kamuoyunun ve milyonlarca Hürriyet okurunun önünde yazıyorum, 30 yıllık hesabımı açık alınla ve bir tek yazıya sığdırmaya çalışarak veriyorum. Ülkeme, milletime, mesleğime ve sizlere karşı görevimi biraz olsun yerine getirmeyi başardıysam, ne mutlu bana.

Sevgili okuyucularım, bu 7 Şubat 2007 günü benim için çok önemliydi. İçimden taşan şu duyguları sizler de iyi bilin istedim.

Siz benim her şeyim, güç kaynağım, manevi desteğimsiniz. Gücümün çoğunu sizlerden aldım. Bana siz sahip çıktınız. Bundan sonra da çıkacağınızı biliyorum.

Bu mutlu ve çok önemli günümü sizlerle paylaştığım için beni lütfen kınamayın, bağışlayın, hoşgörün sevgili okuyucularım."

Ohhh, artık rahatlamıştım. Adeta içim boşalmıştı.

Bugün gazeteye geldiğimde odamın kapısına nice çiçekler yığılmıştı. (Sonra saydık, 153 çiçek geldi.) Pek çoğunu hiç tanımadığım *Hürriyet* okurları göndermişti. Onlarla aramızdaki sevgi ve gönül bağı bir kez daha ortaya çıkıyordu.

Sabah erken saatlerden itibaren kutlama mesajları yağmaya başlamıştı. Leyla onları kâğıda çekiyor ve tomarıyla bana getiriyordu. Gelen kutlama telefonlarına çıkamıyordum çünkü yetişemezdim.

Öğlen saat 12.00'de Ertuğrul'la Sheraton otelinde kalmakta olduğu 906 numaralı odasında buluşacaktık.

Bu kez konuşmaya "Yahu biz seninle ne yapacağız" diye girdi. Herhalde kafası dalgındı ki bir "Hayırlı olsun, kutlarım, daha nice yıllara" demek aklına gelmemişti!

"Ne demek ne yapacağız? Ben sizinle ne yapacağım?"

"Arkadaş, ben Aydın Bey dönemine kadar parasız biriydim. İyi bir şarap alacak param bile yoktu. Aydın Bey bizi

ihya etmedi mi? Refaha kavuşturmadı mı? Bizi bu AKP döneminde çok sıkıyorlar. Lütfen biraz yardımcı ol."

"Yani beni hep kişiliğimden, gazetecilik çizgimden ödün vermeye zorluyorsun. Peki ne zaman bitecek bu sıkıntılı dönem?"

"Tayyip cumhurbaşkanı olunca bitecek. Abdullah başbakan olacak. O daha ılımlı bir adam. Söylediğimizi anlar. O zamana kadar biraz ılımlı gidelim. Köprüyü geçene kadar... Abdullah üzerimize bu kadar gelmez. Şimdi Tayyip bizi batırmaya çalışıyor. Şimdi başımıza bir de promosyon belası çıktı. Bu yüzden haftada bir trilyon zarar ediyoruz. Yine adam çıkarmaya başlayacağız."

"Peki Tayyip'in cumhurbaşkanlığı konusunda siz nasıl bir tavır alacaksınız **Doğan Grubu** olarak?"

"Sessiz kalacağız. Destek vermeyeceğiz ama karşı da çıkmayacağız. Bunlar bizi batıracak. Şu POAŞ olayında üzerimize nasıl geldiklerini gör. Ama Aydın Bey de kinleniyor. Zamanı gelince bunların (...) Senden ricam, biraz anlayış göster. Bunu bütün yazarlarımız kabul ediyor, bir tek sen etmiyorsun. Tek sorun sensin."

"Sorunu sen yarattın. Ültimatom verdin. İzne çıkmamı istedin, gazeteden ayrılmam karşılığında büyük paralar bile teklif ettin."

"Gözünü seveyim izne çıkma. Gel İstanbul'a, üçümüz buluşalım. Sen Aydın Bey'le bir tavla oyna."

"O bana küs. Niye küs olduğunu da halen bilemiyorum."

"Bana da küs."

"Sana da mı? O niye?"

"Bilmiyorum, çok duygusal oldu. Ben burada rüzgârın karşısındaki kavak ağacı gibiyim. Rüzgâr nereden eserse o yöne eğilmek zorundayım."

"Peki, ben biraz frene basılı gidersem, limitimiz Tayyip'in Çankaya'ya çıkması mı?"

"Evet. Ama biraz da bize destek ver. Bugün patronu öven, gazeteyi öven bir şeyler yaz gözünü seveyim."

"Hep istiyorsun. Ama bak, bugün benim için çok önemli bir yazım çıktı gazetede. Gazete yönetiminden bir tek kişi açıp kutlamadı, 'Hayırlı olsun' demedi. Patron, kızları, damadı, sen, kimseden tık yok. İnsan bir telefon açmaz mı? Sana buraya okurlardan bugün saat 11.00'e kadar gelen kutlama mesajlarını getirdim. (Yüzlerce mesajdan oluşan, kâğıda çekilmiş tomarı kendisine uzattım.) Şunlara hiç değilse bir göz at. Okurların bana karşı olan sevgisini birkaç dakika ayırıp gör be."

"Bırak yaaa, okuyucu bugün bunu yazar, yarın başka şey yazar."

"Canın sağ olsun Ertuğrul. Ama sen kendi gazetenin okurunu tanımıyorsun ve onlara saygın yok."

O gün ve izleyen günlerde binlerce kutlama mesajı aldım. Onların tamamı şimdi ATO arşivinde.

Çoğunu okuduğum zaman gözlerim doldu. Bu göz dolma olayı başıma sık sık gelirdi. Okuyucu öyle birkaç cümle yazar ki, duyguları tümüyle körelmiş bir insan değilseniz, ağlamamak için kendinizi zor tutarsınız. Bunları bazen odama gelen arkadaşlara da okuturdum. Bu sevgi seline, bu gönül bağına her okuyan hayret ederdi.

Arkadaşlar, "Abi ne mutlu sana" derdi. Hep düşünürdüm. Gazetesinin okurlarından gizlenen, yazışma adresini bile gizli tutan Ertuğrul'a acaba böyle mesajlar ömrü boyunca bir kez olsun gelmiş miydi!

7 Şubat tarihli "**30. Yıl**" yazımdan sonra aldığım binlerce yazılı mesajdan sadece birini şimdi size aynen vereceğim. Gönderen **Can Kıraç**. Can Bey'le uzun yıllar önce Antalya'da tanışmıştım. Ondan sonra bir daha karşılaşmak mümkün olmamıştı.

"Kıymetli Emin Çölaşan Usta,

Gazetecilik mesleğindeki 30. yılınızı kutlarken duyduğunuz coşkuyu ve mutluluğu eşim İnci ve ben, sizinle paylaşıyor ve bu heyecanın ve başarının uzun yıllar devam etmesini diliyoruz.

'Gazetecilikte 30 Yıl' başlıklı yazınız beni öylesine etkiledi ki, bu yazınızı, henüz 3 yaşında olan torunum Can'a, 12 yıl sonra 15 yaşına girdiğinde okuması dileğimle, örneği ekli mektubumla, anne ve babasına teslim ettim!

Yeni bir asrın başlarında, Türkiyemizde, adam gibi adam olmanın kurallarını özetleyen ilkelerinizin, torunum Can'a da rehber olmasını istedim.

Biz, Kıraç ailesi olarak, siz Çölaşan ailesine derin saygı ve sevgilerimizi sunuyoruz.

Can Kıraç. 8 Şubat 2007"

Bu mektubun ekinde **Can Kıraç**'ın torunu Can'a yazdığı mektup vardı. Onu da aynen veriyorum:

"Sevgili Can,

Mektubumu okuduğunda, sen 15. yaşına adım atmış olacaksın.

Ben, büyükbaban olarak, hayatta kazandığım deneyimlerle, 15 yaşın, bir genç için kişiliğini kazanmanın başlangıcı olduğunu biliyorum.

Artık, 15 yaşına girmiş bir Türk genci olarak, sen de yaşamın önceliklerini düşünmeye başlayacak, ilkeli bir vatandaş olmanın ilkelerini özümsemeye yöneleceksin.

Bu mektubumun ekinde, gazeteci-yazar Emin Çölaşan'ın 30. meslek yılında, 7 Şubat 2007 tarihinde yazdığı yazının aslını bulacaksın.

Bu yazıyı dikkatlice okumanı, hayatta başarıya ulaşmak için hangi ilkelere önem vermenin gerektiğini, kısacası, adam gibi adam olmanın kurallarına dikkatini çekmek istedim.

12 Mart 2019 tarihinde, ben ve babaannen belki hayatta olmayacağız. Sana, başarı dolu bir gelecek diliyor, sevgilerimizle gözlerinden öpüyoruz.

Yolun açık olsun!

Can Kıraç. 8 Şubat 2007."

Burada **Can Kıraç**'tan özür diliyorum... Çünkü torunu 15 yaşına geldiği zaman, 2019 yılında açılmasını istediği bu mektubu ben şimdi yıllar öncesinden, bu kitapta açıkladım.

Ama dayanamadım. Beni lütfen affetsin.

***

Aynı gün öğleden sonra *Sabah*'tan **Yavuz Donat** aradı. Yavuz benim arkadaşım, dostum ve hayatımda tanıdığım ilk gazeteci. Yavuz bir öneride bulundu:

"**Fatih Altaylı**'nın sana selamlarını iletiyorum. Geçmişte olanları unutun. Fatih Bey de unutmuş zaten. (Sonra *Sabah*'ın sahibi **Turgay Ciner**'i biraz anlattı.) Turgay Bey mütevazı adamdır. Aynen eski günlerdeki **Aydın Doğan** gibi. Ne zaman istersen *Sabah*'ın kapıları sana açıktır. Geliyorum dediğin anda odan hazırdır, araban kapına gönderilecektir. Bunları sana Turgay Bey ve Fatih Bey adına tam yetkiyle söylüyorum."

Biraz sonra *Akşam* Gazetesi Genel Yayın Yönetmeni **Serdar Turgut** aradı ve uzun uzun konuşup medyaya yapılan baskılardan söz ettik. Biraz dertleştik. *Akşam*'ın kapısının bana her zaman açık olduğunu, ne zaman istersem *Akşam*'da yazmaya başlayabileceğimi söyledi.

Serdar'dan hemen sonra *Akşam*'ın Ankara Temsilcisi **İsmail Küçükkaya** aradı ve patronu **Mehmet Emin Karamehmet** adına transfer teklif etti. **Karamehmet**'in beni çok sevdiğini, *Akşam*'a geçmemi istediğini söyledi. Teşekkür ettim.

Saat 17.00 dolaylarında Yazıişleri Müdürümüz, eski dostum ve çok sevdiğim arkadaşım **Tufan Türenç** aradı:

"Emin'ciğim sen bugün *Akşam* gazetesiyle konuştun mu?"

"Konuştum. **Serdar Turgut** aramıştı."

"Yarın bunlar senin sözlerini manşet yapıyor. 'Üzerimde baskı var' falan demişsin. Aman önle bunu, basın rezaleti patlar başımıza."

"Yav ben Serdar'la arkadaşça konuştum. Siz nereden haber aldınız benim sözlerimi manşet yaptıklarını?"

"*Akşam*'dan aldık, başka nereden alacağız!"

O zaman bir daha anladım ki, gazetelerin içinde öteki bazı gazetelerin casusları var! Kendi gazetelerinde neler olduğunu, ertesi gün neyin manşet yapılacağını başka gazetelere uçuruyorlar. Para karşılığı veya başka nedenle, onu bilemem.

Hemen Serdar'ı aradım:

"Aman Serdar, sana arkadaşça konuştum ben. Lütfen benim ağzımdan bir şeyler yazıp beni zor durumda bırakma. Bizimkilerin ağzına bana karşı sakız vermiş olursun."

***

8 Şubat 2007 Perşembe. *Akşam* gazetesi benim fotoğrafımla birlikte sürmanşet atmış:

"Minik Kuş Ayarı. Hürriyet, en çok okunan yazarı Emin Çölaşan'a hükümet aleyhine yazı yazma uyarısı yaptı... Dün köşesinde 30 yıllık gazetecilik kariyerini anlatan Çölaşan, bu yazı sonrasında izne ayrılmayı planlıyordu. Çölaşan yazısında istifa sinyali verdi. Gelişme üzerine apar topar Ankara'ya giden Ertuğrul Özkök, Çölaşan'la görüşüp şimdilik yazması için ikna etti."

Ertesi gün yine *Akşam*'ın manşetindeydim:

"Çölaşan'a baskı - ahlaksız teklif.

Çölaşan'a baskı kurulması Baykal'ı kızdırdı. Bunun adı ahlaksız tekliftir. Abdülhamit döneminde bile bu yapılmadı."

Bizim olay iyice gündeme yerleşti. Köşe yazarları yazıyor, gazeteler ve televizyonlar haber yapıyor. Hiç kimseye hiçbir şey söylemiyorum, ayrıntıları veremiyorum. **Baykal**'ın gazetecilere uçakta söylediği sözler olayı kızıştırıyor. İş büyüyor.

***

Bugün 9 Şubat 2007. Ertuğrul'un yazısını özetliyorum:

"Dün CHP Genel Başkanı Deniz Baykal'ın uçağında bir konuşma geçmiş. Hükümetin bazı yazarlar konusunda Hürriyet'e baskı yaptığı söyleniyormuş. Deniz Bey'in hassasiyetine teşekkür ederim. İçi rahat olsun.

Bu gazetenin genel yayın yönetmeni olarak söylüyorum. Bize kimseden şu yazarı atın, bu yazarı susturun diye mesaj gelmedi...

Haaa, şunu da ifade edeyim. Dünyanın her yerinde gazetelerin yazarlara müdahale hakkı vardır. Ama Hürriyet bunu en alt düzeyde yapan gazetedir."

En alt düzeyde!.. Olanları nasıl da saptırmaya yelteniyordu!

Bu gece saat 19.15'te evden aradı. Sesi boğuk ve ezikti:

"Hani gazeteyi öven, patronu öven bir yazı yazacaktın! Senden rica etmiştim."

Tepemin tası attı.

"Yav Ertuğrul, beni boğma bu laflarla, beni rahat bırak Allah rızası için. O işlerin zamanlamasını lütfen bana bırak."

Konuşmamız yaklaşık 30 saniye sürdü.

***

10 Şubat 2007. Başöğretmenimiz bugün bir yazı daha yazdı. Bu kez 1950'li yıllara gidiyor ve **Çetin Altan**'a sığınıyordu. O yıllarda gazetenin başındaki kişi **Çetin Altan**'ın yazılarını değiştiririmiş. Sonra yazısını sürdürüyordu:

"Dünyanın her yerinde genel yayın yönetmeninin, yazarlar üzerinde böyle bir yetkisi vardır. Bana sen de öyle şeyler yaptın mı diye sorarsanız, cevabım çok net.

Evet, yaptım.

Neticede kimse Hürriyet markasının üstünde değildir. Hepimiz Hürriyet'in yayın ilkelerine uymak zorundayız. (O ilkelerin birinci maddesi herhalde hükümetten korkmak!) *Ama Hürriyet bu işlerin en az yapıldığı gazetedir.*

Dün de belirttim. Bize bu konuda hükümetten gelen bir baskı falan yok. (Olduğunu bana kendisi söylemişti.) *Ama gelebilir de.*

Bu gazetenin sahibi (Aydın Doğan) *meslek hayatında hep şununla övündü:*

'Bana kimse yazar attıramadı.'

Bugün böyle bir baskıyla karşılaşırsak, kimse merak etmesin, bütün Türkiye'yi ayağa kaldırırım."

Çok ilginç değil mi?.. Bunları hiç sıkılmadan **Ertuğrul Özkök** yazıyor!

Öteki gazeteleri eleştiriyor ve yazısı devam ediyor:

"*...Ya Hürriyet? Sadece Emin Çölaşan mı?..* (Öteki yazarları sıralıyor.)

Gidin kendilerine sorun. Kim ne zaman baskı yapmış?"

Ne demiş atalarımız: "Allah'tan korkmuyorsun, bari kuldan utan!"

Acı gerçekleri, kendi ayıplarını, pek çok arkadaşımızın hükümeti kızdırır diye gazeteye koymadığı, üzerinde oynama yaptığı yazılarını inkâr ediyordu.

***

Aynı gün saat 11.00'de gazeteden aradı. Bizim konuyu **Yavuz Donat**, **Serdar Turgut**, rahmetli **Şakir Süter** ve çok sayıda köşe yazarı gündemde tutuyordu. Kızmıştı:

"Vallahi billahi senin yüzünden intihar edeceğim. Silahla mı edeyim, kendimi gazetenin 11. katından mı atayım, bilemiyorum."

"İkisi de olmaz. Sen Tansu'ya söyle, ille de intihar edeceksen senin elini ayağını güzelce bağlasın, havagazı borusunu burnuna dayasın. En kolay öyle oluyormuş."

"Gözünü seveyim patronu yücelten bir yazı yaz. Sanki öbür gazeteler daha mı özgür? Herkes bana yükleniyor. Onlarda özgürlük mü var? Niye onlara cevap vermiyorsun, niye sessiz kalıyorsun? Hepsi senin arkana sığınıp bize vuruyor. Haydi onların da kıçı sıkan bir yazarı varsa hükümeti eleştirsin de göreyim bakalım."

"Yazını okudum. Sen *Hürriyet* adına cevap veriyorsun zaten! O yetmez mi? Üzerimizde baskı olmadığını senden öğrenip rahatlıyoruz!"

"Yaz bir şeyler yahu!"

***

11 Şubat tarihli *Tercüman* gazetesinin manşeti:

"Hürriyet bazen sansürdür. Çölaşan POAŞ'a tosladı. 1.2 milyar dolarlık vergi borcu ile köşeye sıkışan Doğan Grubu'ndan, sert AKP muhalifi Çölaşan'a 'İster istifa et, ister izne çık ama eleştirme' denildi."

Tercüman'ın manşeti aslında eksikti.

Bana gazeteden ayrılmam karşılığında para da önerilmişti.

Herkes soruyordu ama bunları ortaya çıkıp açıkça söyleyemiyordum. Benim değil, onların adına ayıp olurdu. Benim utanacağım bir şey yoktu. Başkaları utanmalıydı.

***

16 Şubat 2007 Cuma. Bugün hiç tanımadığım bir okuyucudan çok çarpıcı bir belge geldi. Maliye Bakanlığı muhalif televizyon *Kanaltürk*'ün üzerine gidiyordu. Bütün bankalara *Kanaltürk* ve ayrıca **Tuncay Özkan, Cüneyt Arcayürek, Mine Kırıkkanat**'ın banka hesaplarının, dökümlerinin bakanlığa bildirilmesini isteyen bir yazı göndermişti. Özetliyorum:

"8 Ocak 2007. Maliye Bakanlığı Gelir İdaresi Başkanlığı.

(Türkiye'de çalışan bütün bankalara.) Yapılmakta olan bir vergi incelemesi nedeniyle ekli listede kimlikleri bulunan kurum ve şahıslarla ilgili bilgi ve belgelere ihtiyaç duyulmuştur.

Bunların bankanız nezdinde TL, YTL, döviz, çek, yatırım, kredi vs. hesapları olup olmadığı, varsa bu hesaplara yatan ve çekilen paralar... Hesap özetleri ve şahıs bilgileri... Adlarına bankanıza gelen ve giden havale, swift, EFT ve benzeri para transfer işlemleri... Bunların tarihleri, cinsi, tutarı, kimden nereye geldiği ve kimden nereye gönderildiği detaylı olarak... Bankanız nezdinde işlem görmüş, bunlar adına ve bunlar tarafından ciro edilen çeklerin onaylı fotokopisi..."

Listede yer alan kurumlar ve gazeteciler:

"*Kanaltürk* ve bağlı şirketler. Ayrıca *Kanaltürk* çalışanları ve gazeteciler **Kerimcan Kamal, Havva Göksu, Adnan Bulut, Emre Eren, Tuncay Mollaveisoğlu, Ahmet Burak Mızrak, Ahmet Gökbulut, Tuncay Özkan, Cüneyt Arcayürek, Mine Kırıkkanat**."

Bu belge muhteşem bir gazetecilik olayı yaratacaktı. Bu yolla muhalif medyaya gözdağı verilmek isteniyordu. Bu çok önemliydi.

Başta zaten korkan bizimkiler olmak üzere herkese aba altından sopa gösteriliyordu.

Hemen **Tuncay Özkan**'ı aradım. Tuncay'ın bu belgeden haberi yoktu. Kendisine faksladım ve bir ricada bulundum:

"Bu hem bir meslek, hem de abi ricasıdır. Bunu ben en geç pazar günü yazıp belgeyi de açıklayacağım. Sen o güne kadar açıklama. İstiyorsan ben yazdıktan sonra üzerine gidersin."

Tuncay'ın aklı durmuştu. Kaçıncı incelemeyi geçiriyorlarmış ama bu belgeyi bilmiyordu. Önerimi kabul etti ve sözünde durdu.

İşin içinde Maliye Bakanlığı var. **Kemal Unakıtan** bizim gazetede ve **Doğan Grubu**'nda dokunulmazlığı olan biri. Onu rahatsız edecek bir tek haber bile gazeteye giremez. Kabul etmeme olasılığı yüzde 99 bile olsa iş disiplini gereği yine de hemen Ertuğrul'u aradım:

"Bak Ertuğrul, elime böyle bir belge geçti. Bunu gazetede patlatalım. Büyük gazetecilik olur. Hadise tamamen doğru. Büyük bir skandal. Medyaya gözdağı veriyorlar."

"Bana 24 saat süre ver, biraz düşüneyim. Ben seni ararım."

"Bunun süresi olur mu be kardeşim? Burada gazetecilik yapıyoruz. Hangi gazetecilikte 24 saat beklemek olur! Yarın o belge başkalarının eline geçer, onlar şakır şakır patlatır."

Aramayacağını biliyordum. Nitekim aramadı. Bu demektir ki, belgeli olayı *Hürriyet*'te yazmam söz konusu değildi. Yazsam gazeteye koyacak cesareti yoktu. Patrondan bir fırça daha yerdi.

Biz bu inanılmaz belgeyi 18 Şubat Pazar günü *ART* (Avrasya) ekranında **Mustafa Balbay**'la birlikte açıkladık. Ortalık karıştı.

Ortada büyük bir gazetecilik olayı vardı ve doğrudan medyayı, medyaya yapılan baskıları belgeliyordu. Ama ne yazık Ertuğrul'un yüreği yine yetmemişti.

***

Günler, haftalar, aylar hızla geçiyor. 2007 yılının yarısını geçtik. Seçim yaklaşıyor. 22 Temmuz günü sandık başına gideceğiz. Tempoyu düşürmeden çalışıyorum. Zaman yetmiyor. Hayatım kaymış durumda.

Hürriyet yazarı **Mehmet Y. Yılmaz** bir kitap çıkarmış, bana da imzalayıp gönderdi. İmzalı kitap gönderen herkese açıp bir teşekkür ediyorum. Mehmet'i aradım. Bir cumartesi, öğle vakti. Ben gazetedeyim.

"Mehmet çok teşekkür ediyorum kitabına. Bana da imzalayıp göndermişsin. Nasılsın, ne yapıyorsun?"

"Valla iyiyim, Boğaz kıyısında yürüyüş yapıyorum."

Bu kısacık konuşma kafamda ziller çaldırdı. Ben boğulmuştum. Yorgunluktan beynim karıncalanmıştı. Enerjimi giderek yitiriyordum. Bir sinir harbi içindeydim...

Ve bir meslektaşım o sırada Boğaz kıyısında yürüyüş yapıyordu. Olumlu anlamda kıskandım, öyle bir olaya özlem duydum.

Gece eve yorgun gittiğimde bazen televizyonu açıyordum. Ekranda tatil beldeleri, denize giren insanlar... Nasıl özlüyordum.

Şöyle kafamı bir dinleyebilsem... Sessiz, sakin bir yerlere gidip yürüsem, denize girsem... Üzerimdeki yorgunluğu, gerilimleri biraz olsun atsam...

Seçim yaklaşıyor. Ertuğrul Ankara'ya geldi. Gazetede konuşurken sordum:

"Oyunu kime vereceksin?"

"Valla daha karar vermedim. Ya AKP olur, ya CHP."

***

Günlerden 27 Mayıs 2007. Bugünkü yazımın konusunu yine bir okuyucu göndermişti. Hem de fotoğrafıyla birlikte. Kelkit Gümüşhane'nin bir ilçesi. Kelkit caddelerine afişler asmışlar. Afiş fotoğrafını da kullandığım "**Sizce Suç Kimde?**" başlıklı yazım şöyle:

"Türkiye'de belli kesimlerden fışkıran Atatürk düşmanlığının hangi boyutlara ulaştığını ve nasıl sinsice sergilendiğini bu fotoğrafta bire bir görüyorsunuz. Gümüşhane'nin Kelkit ilçesinde cadde ve sokaklara bu doğrultuda afişler asılıyor. Aynen şöyle:

'Alkollü sürücüler her gün trafik kazalarında hayat kaybediyor, kaybettiriyor.'

Bu bölüme itirazımız yok. Sürücünün alkollü olması elbette çok tehlikeli bir şey. Afişte ayrıca büyük harflerle soruluyor:

'SİZCE SUÇ KİMDE?'

Yanıtı verilmiyor ama bu ifadenin hemen altında, ne ilgisi varsa (!) Atatürk'ün resmi: 1881-1938.

Cingözce, tamamen bilinçli hazırlanmış bir afiş... Ve suç Atatürk'te!

Gümüşhane Valisi ve Kelkit Kaymakamı herhalde bu afişi görmemişler. Görseler bile anlamını, verdiği mesajı kavramamışlar."

Bilmeden cami duvarına işemişim!.. Çünkü bizim patron **Aydın Doğan** Kelkitli. O yoğunlukta, bunları yazarken aklıma bile gelmemişti. Bu lafı, cami duvarına işediğimi, yazı çıktığı gün bizim Ankara bürosundaki muhabir arkadaşlar söyledi. O zaman farkına vardım.

Sonra Kelkit Kaymakamı ve Belediye Başkanı bir açıklama gönderdiler, 30 Mayıs tarihli yazımda kullandım. Trafik haftasının öneminden, bu nedenle afişler asıldığından söz ediliyor ve şöyle deniliyor:

"Alkollü sürücüler her gün hayat kaybediyor, kaybettiriyor. Sizce suç kimde afişininin uzaktan bakıldığında, Atatürk'ün 1998 yılından beri asılı duran siluetiyle alt alta asılmış gibi gözükerek yanlış anlamaya sebebiyet verdiği, ancak konum itibariyle bahse konu afişle Atatürk siluetinin arasında herhangi bir bağlantının olmadığı, aralarında yaklaşık bir metre mesafe bulunduğu ve arka arkaya durdukları, ancak alt alta duruyormuş gibi gözüktüğü ve göz aldanmasına sebebiyet verdiğinin İlçe Emniyet Müdürü tarafından gözlemlenmesi üzerine, afiş asıldıktan bir gün sonra afişin yerinin değiştirilmesi sağlanmıştır..."

Bu açıklamayı da kullandım ve iş bitti! Ama bitmemiş. Bu konuyu kovulma saatlerinde önce Ertuğrul söyledi.

Kovulma sonrasında **Sedat Ergin** "Senin olayında kırılma noktası bu Kelkit yazısı oldu" dedi.

Onca sorun içerisinde bunun ne kadar doğru olduğunu bilemem. Belki de bir bahane idi. Her şey aklıma gelirdi de, Kelkit'in başıma iş açacağı doğrusu gelmezdi!

***

2007 ortalarında *Aydınlık* dergisi, Tayyip'in oğlunun askerden çürük raporu aldığını ve askere gitmediğini belgelemişti. Raporu Kasımpaşa Deniz Hastanesi vermiş. Allah şifa versin de, hastalığın ne olduğunu, raporun ne zaman verildiğini hiç kimse bilmiyor ve herkes merak ediyor.

O günlerde bu konuya bir yazımda değindim. Bekir de değindi. Tayyip çok kızmış. *Kanal A* televizyonunda, hemen seçim öncesinde yaptığı bir konuşmada aynen şöyle dedi:

"Bugün yine gazetelerden bir tanesi densizliğin, terbiyesizliğin daniskasını yapıyor. Benim oğlumla ilgili, askere gitmemesi için rapor. Kaç kez bununla ilgili Hürriyet gazetesi yazdı. Sonra Sayın Ertuğrul Özkök bunu tavzih eder (düzeltir) *mahiyette yazdı. Ve ben Aydın Bey'le de bu konuyu görüşmeme rağmen* (burası önemli çünkü bizi şikâyet ettiğini itiraf ediyor), *bugün yine aynı gazetede köşe yazarı çıkmış, benim oğlumla ilgili bunu yazıyor...*

Şimdi ben Türkiye Cumhuriyeti'nin başbakanıyım. Yani benim çocuğumla ilgili her şey çok açık ve net ortada. Ve bununla ilgili olarak o zaman oranın başhekimi olan kişi, ki bir asker, o da açıklama yaptı ve buna rağmen sen hâlâ yazıyorsun. Bu edepsizlik değil mi, terbiyesizlik değil mi, densizlik değil mi? Yani bu çocuğun onuruyla senin oynamaya hakkın var mı? (Çürük raporuyla onurun ne ilgisi var!) *Başbakan niye böyle sertleşiyorsun? Nasıl sertleşmem ya, bu benim oğlum. Onuru var. Sen kalkıp onun onuru ile oynuyorsun, köşende durmadan yazıyorsun. Senin köşende ne kadar yazma hakkın varsa, benim de sana o denli bindirme hakkım var. İspat yok bir şey yok, konuşuyorsun. Bıktık artık bunlardan."*

Ertuğrul aradı:

"Sakın ola ki bundan sonra başbakanın oğlunun çürük raporu aldığını yazmayasın."

"Başkaları yazar ama; değil mi?"

"Bundan sonra hiç kimse yazmayacak. Herkese söyledim. Başbakana ve ailesine dokunmak yok artık."

Bir kez daha sözünün eri çıktı ve konu gündemden kalktı!

Kokuyu herhalde almış, seçimde AKP'nin bir kez daha geleceğini hissetmiş ve yelkenleri iyice suya indirmişti.

Fakat işin ilginç yanı, ben dahil oğlunu yazanları **Aydın Doğan**'a şikâyet ettiğini televizyonda bizzat Tayyip itiraf etmişti.

Kaçıncı şikâyetti, kaçıncı?

Sonra da hükümetten kendilerine baskı gelmediğini yazarlar, söylerlerdi! Bilmeyenler belki yutardı.

***

17 Temmuz 2007. Seçim iyice yaklaştı. Bugün yazımı yazıp İstanbul'a geçtim. Başlığı: "**Karne, Saat, Gemicik Vesaire**". Yazının bir bölümünde medyayı da eleştiriyorum. Aşağıda okuyacağınız bölümü Ertuğrul yine üzerine alınmış ve ertesi gün yazıdan tümüyle çıkarmış:

"Türkiye'de şimdiye kadar hiçbir iktidar, hiçbir seçime arkasında böyle büyük, korkunç, inanılmaz medya desteği ile girmedi. Gazeteleri ve televizyonları izliyorsunuz. Yüzde 90'ı bunların yağcısı, övücüsü. Çoğunun bir çıkarı, korkusu var. Başbakan hemen her gün ekranda boy gösteriyor. Karşısında gazeteciler! Hemen hepsi kendi adamı. Soru soranlar çanak tutuyor.

Her şey danışıklı döğüş. Onun işine gelmeyen, hoşlanmayacağı şeyler yok. Zaten adam gibi soru soracak gazetecilerin karşısına da oturamıyor.

Bu soru cevapları, bu çanak soruları, devletin Anadolu Ajansı noktasına virgülüne dokunmadan, ânında çarşaf gibi haber yapıyor.

TRT (Tayyip Radyo Televizyonu) zaten bunların emrinde. Medyanın büyük bölümü öyle..."

Evet, yukarıda okuduğunuz bölümü yazıdan çıkarmıştı. Feci tepem attı.

Öğle saatlerinde yazımı yazıp İstanbul'a geçtim. Başlığı: "**Sansür**"

Yazım aynen şöyle:

"Yazdığı yazı, her gün milyonlarca insana hitap eden bir gazetecinin bilgisini, belgelerini, emeğini, alın terini, göz nurunu ortaya koyduğu bir eserdir.

Eğer yazıda yalan, hakaret, gözden kaçmış bir yanlış vesaire varsa, gazetecinin İstanbul'daki yöneticiler tarafından uyarılması doğaldır. O takdirde karşılıklı konuşarak soruna çözüm bulunur.

Ya öyle bir şey yoksa!..

Ancak geçtiği yazının, gazeteciye haber verme, danışma nezaketini bile göstermeden tek taraflı sansür edilmesi, yani belli bölümlerinin makaslanması, yakışıksız bir olaydır.

Hem mesleğe, hem de aynı çatı altında görev yapan gazeteciye yapılan en büyük saygısızlıktır.

Başına gelenin içine sindiremeyeceği bir konudur.

Ve izin...

Sevgili okuyucularım, bir süre izin yapacağım. On aydan beri bir gün olsun tatil yapmadım.

Tatile gitmeyeceğim.

Sadece izin.

'Böyle kritik bir dönemde izne çıkılır mı' diye sormayın.

Gerekirse çıkılır.

Hoşça kalın."

Evet, bu yazıyı aynen geçtim. Biraz sonra İstanbul'da Yazıişleri Müdürlerimizden **Fikret Ercan** aradı:

"Babacım ne yaptın sen? Aman bu yazıyı geri çek! Yayımlanırsa rezil oluruz."

"Onu Ertuğrul düşünsün."

"Ertuğrul şimdi yolda. Hollanda'ya uçuyor. Orada satın aldıkları şirketin yönetim kurulu toplantısına gidiyor. Akşam 18.00'de Hollanda'ya inecek. Başka bir şey yaz sen. Senin muhatabın benim bugünlük. Sen akşam Ertuğrul'u arayıp konuş."

"Nesini arayacağım onun! Benim konuşacağım bir şey yok."

"O halde o seni arasın."

"Hiç gerek yok. Sen bu yazıyı kullan yarına."

"Ben kullanamam. Aman babacım, sakin ol."

Fikret'e durumu anlattım, makaslanan bölümü okumasını söyledim. Hiçbir sakıncası olmayan bir bölümdü. Fikret de kabul etti. Fakat çözüm yoktu. Bu yazıyı koyamayacaklarını biliyordum.

Fikret o gün beni üç-dört kez aradı. İyi niyetle arıyor, başka bir yazı yazmamı istiyor, sorun çıkmasın diye çaba harcıyordu. Sonunda aklım yattı:

"Peki Fikret, yeni bir yazı yazarım ama en başına, bugün yazımdan çıkardığı o bölümü koyarım. Girişi o bölüm olur."

"Yaz babacım, çıkardığı o bölümde sakıncalı bir şey yok ki zaten. Suç yok, hakaret yok, sadece medyayı eleştiriyorsun."

Böylece bir gün önce makasladığı bölümü, biraz sonra yazdığım yeni yazının giriş bölümünde aynen kullandım ve yazımı İstanbul'a geçtim.

Saat 19.15. Gazeteden çıkmak üzereyim. Çıkışta bizim santral var...

"Emin abicim, Ertuğrul Bey sizi arıyor."

"Dur, odama çıkayım da oraya bağla."

Eyvah, yine bir şeyler olacak. Anlaşılan Hollanda'ya ayak basmış ve ilk iş olarak benim yazdığım **"Sansür"** başlıklı yazı ile sonradan yazdığım ikinci yazıyı kendisine geçmişler. Odama çıktım, telefon çaldı. Bağırıyor:

"Ne zaman bir yere gitsem başıma iş açıyorsun."

"Bana bak, bağıracaksan telefonu suratına kapatırım. Konuşacaksan adam gibi konuş."

"Peki bağırmıyorum. Nedir bu senin yaptığın?"

Yine bağırıyor.

"Kapatıyorum telefonu..."

"Peki kapama, sakin olacağım. Habire medya yazıyorsun, medyaya dokunuyorsun. Medya demek ben demek. Sen medyayı kötüledikçe işin ucu bana dokunuyor. Medyanın yarısı **Doğan Grubu**. Yazacaksan, kimi kastediyorsan ismini ver. Sen yazıyorsun, herifler benim üzerime geliyor."

"İyi de, yazımda isim vererek *Anadolu Ajansı* ve *TRT*'yi de yazdım. Onları niye çıkardın? Ben Fikret'le konuştum. Senin çıkardığın bölüm yarınki yazımda aynen giriyor. Haberin olsun. Hem biz seninle kaç defa konuşmadık mı? Bu makaslama olayını yapmayacağına dair kaç defa yemin etmedin mi? Söz vermedin mi? Ben senin neyine güveneceğim bu saatten sonra?"

"Ben de sana 'Medyayı eleştirme, senin eleştiri okların bana batıyor' demedim mi? Habire başıma bela açıyorsun. Sen cuma günü Ankara'da mısın?"

"Elbette Ankara'dayım. Seçime üç gün kalmış, nerede olacağım başka!"

"Ben buradan doğru Ankara'ya geleyim, bir yemek yiyip konuşuruz. Şimdi senden arkadaşça bir ricam olacak. Hiç değilse yarın çıkacak yazının bir yerine **Doğan Grubu**'nu sıkıştır. Bizim grubu yalakalık dışında tutan bir tek cümle olsun koy. Arkadaşça ricamdır. Beni kırma."

"Peki, seni kırmayacağım."

İstanbul yazıişlerini aradım ve yarın çıkacak yazımın yağcılık ve yalakalık bölümüne bir cümle sokuşturdum:

"Büyük ölçüde bizim grup dışında..."

Komedi oynuyorduk.

20 Temmuz Cuma gecesi Hollanda'dan doğruca Ankara'ya gelecek ve Trilye'de balık yiyeceğiz. Ertuğrul'la birlikte geleceğimizi söyleyip iki kişilik masa ayırttım. Trilye'nin sahibi **Süreyya Üzmez**, müşterilerin merakını iyi bilir. Saat 20.30'da buluşacağız. Oraya gittiğimde Süreyya Bey masanın yanına yerli ve yabancı şaraplardan oluşan belki 15 kaliteli markayı dizmiş. Ertuğrul onlardan birini beğenecek.

Birazdan geldi. Şarapları inceledi... Ve hiçbirini beğenmedi.

"Bana bizim şoför Mahmut'u çağırın."

Mahmut geldi.

"Mahmut, bana arabadan şarap getir."

Şarap geldi. O şişe açıldı. Seçkin bir Avustralya şarabı imiş. Ben de bir yudum alıp tadına baktım. Sordu:

"Nasıl, nefis değil mi?"

"Valla ben anlamam. Ama sen güzel diyorsan mutlaka güzeldir. Bu işin erbabı sensin."

Konuyu açmıyorum, onun konuşmasını bekliyorum. Birkaç dakika sonra açtı:

"Patronla artık barış."

Yine aynı laflar. O aynı şeyi söylüyor, ben aynı şeyleri söylüyorum.

"Bak, hepimiz refah içerisinde yaşıyoruz. Yumuşak yaz, rahat edelim, keyfimize bakalım. Sana İstanbul'dan çok güzel şaraplar göndereyim. Sen votka seversin, çok güzel votkalar göndereyim. Gazeteyle ilgili birkaç güzel yazı yaz. Yazılarında patronu biraz öv. Patron duygusal adamdır. Hem hoşuna gider, hem de barışmış olursunuz. Biz ne biçim haksızlığa uğruyoruz. Bu POAŞ olayında anamızı (...) Ama **Turgay Ciner**'in, **Mehmet Emin Karamehmet**'in marifetlerini hiç görmediler. Senin yüzünden ben her gün fırça yiyorum, azar işitiyorum."

"Kimden fırça yiyip azar işitiyorsun?"

"Kimden olacak, patrondan. 'Yapamayacaksan, bu işi beceremiyorsan bırak git' diyor. Senin yüzünden vallahi billahi yalama oldum. Sen bana biraz yardımcı ol, sonrasında hep birlikte keyfimize bakalım, hayatın tadını çıkaralım."

Aynı doğrultudaki muhabbetler bir kez daha yaşandı! Hollanda'dan benimle konuşmak için doğruca Ankara'ya gelmişti. Pazar günü seçim var. Oy kullandıktan sonra helikopterle Bozcaada'ya gidip şarap alacakmış. Orada çok güzel bir şarap türü varmış. Ne güzel hayat, Allah aratmasın! Konuşmamızın yarım saati, şarap üreticisi **Reşit Soley**'e ulaşmaya çalışması, araması ve ona mesaj atmasıyla geçti. Yanımıza gelen giden oldu. 23.00 uçağı ile İstanbul'a döneceği için 22.00'de ayrılacak. Konuşmamız kısa sürdü. Ayrılırken seçim tahminini sordum:

"AKP çok az farkla iktidar olur. 280 kadar milletvekili çıkarır."

Radikal Gazetesi Ankara Temsilcisi **Murat Yetkin** de o gece oradaydı. Sonra bana rastladığında "Abi amma da gergindiniz, gergin bir konuşma olduğunu uzaktan hepimiz hissettik" dedi. Ben alışık olduğum için gerçekten hissetmiyordum.

Ama neler olduğunu da kimselere anlatamıyordum ki!

***

Ertuğrul'u artık çok iyi tanıyordum. Bu fırsatı yıllar içerisinde yakalamıştım. İki ayrı kişiliği vardı.

1) Sizin yanınızda sürekli vaat eden, tatlı dil döken, ikna eden, güzel ve olumlu tablolar çizen, şirin görünen, iyimserlik yaratan, gönül almayı bilen Ertuğrul.

2) Sizi arkadan vuran, verdiği sözlere, ettiği yeminlere asla sadık kalmayan, acımasız, güçten, patrondan ve AKP iktidarından korkan, arada ezilen, çaresiz kalan, ürken, rüzgâra göre eğilen, yazıları haber vermeden makaslayan, isim vererek veya vermeyerek size yazılarında bindiren, arkadan vuran, sözünde durmayan dengeci biri. Patronun dört dörtlük adamı. Yıpranmış, hiç kimse tarafından sevilmeyen, sadece sahip olduğu güç nedeniyle sözü dinlenen bir yönetici.

Onun gerçek kişiliğini çözebilmiş değilim.

SEÇİM SONRASI

22 Temmuz 2007 seçimleri yapıldı. Başta Tayyip olmak üzere AKP'liler ve herkes şaşkındı çünkü **Tarhan Erdem**'in anketine rağmen hiç kimse AKP'nin yüzde 47'ye yakın oy alacağını beklemiyordu. Büyük sürpriz oldu.

Seçim gecesi ve pazartesi günü çoğu insanımız gibi ben de şoktayım. Ağzımı bıçak açmıyor. Biz kaybettik! Söylediklerimizin, yazdıklarımızın, dileklerimizin tam tersi çıktı. Bizler açısından tam bir yenilgi, hatta hezimet tablosu.

23 Temmuz Pazartesi. Bugün yazı yazacağım. Ne yazmalı? Hayatımın belki de en kritik yazılarından biri olacak.

Öğlene doğru Ertuğrul gazeteden aradı:

"Sonuç ortada. Herifler yine geldi. Bundan sonra çok daha dikkatli yazacağız. Söylediklerimi unutma."

"Valla biz uzayda yaşıyormuşuz be Ertuğrul. Biz Türkiye'yi, Türk halkının beklentilerini hiç bilmiyormuşuz. Şok olduk yani."

Bu sözleri telefonda arkadaşça söylüyordum.

"**Sürpriz**" başlıklı yazımı yazıp İstanbul'a geçtim. Yüzümüze tokat gibi çarpan seçim sonuçlarına değiniyor, bundan sonra neler olacağını irdeliyordum. Ertesi gün (24 Temmuz Salı günü) gazetede çıkan yazımı okuduğumda, **Tayyip** ve **Kemal Unakıtan**'ın hoşuna gitmeyecek bazı cümlelerin yine makaslanmış olduğunu gördüm. Aynen şu cümleler:

"...Sanayi tesislerimizin, fabrikalarımızın, arazilerimizin, parayı bastırana babalar gibi satışı devam edecektir.

Bu durumda, ülkeyi yöneten kadroların aynen işbaşında kalmasında yarar olacaktır!

Meclis Başkanı Bülent Arınç, Maliye Bakanı Kemal Unakıtan, Milli Eğitim Bakanı Hüseyin Çelik, hepsi yerinde kalmalıdır.

Cumhuriyet rejiminin ilkelerinin korunacağından da hiç kuşkumuz olmamalıdır!"

Evet, bu bölümleri çıkarmıştı.

Yazımda bir bölüm daha vardı. Bunlar dün sabah Ertuğrul'a telefonda arkadaşça söylediğim sözlerdi ve onlara dokunulmamıştı:

"Demek ki biz uzayda, başka bir gezegende yaşıyormuşuz. Türkiye'nin ve toplumun hiçbir şeyini bilmiyormuşuz. Demek ki insanlar durumdan, gidişten memnunmuş..."

Hürriyet'te aynı gün Ertuğrul'un yazısı var. İsim vermeden bana yine arkadan vuruyor, saldırıyor. Yazısının başlığı **"Bizim Mahallede Durum"**.

"Dün sabah 'bizim mahalleden' biriyle sohbet ediyordum. AKP'ye şiddetle muhalefet eden, Erdoğan'ı bu ülke

için en büyük tehlike olarak gören, dolayısıyla beni şiddetle eleştiren bir 'mahalle sakini.'

'Meğer biz ay'da yaşıyormuşuz' dedi! (Benim uzayda, gezegende sözcüklerimi 'ay'da' diye kullanıyor.)

Hayır ayda değil, sadece kendi mahallende yaşıyorsun. Kafanı oradan dışarı çıkarmıyorsun. Dünyayı kendin gibi düşünen üç-beş arkadaşın, senin mahallende oturan azgın azınlığın üç-beş faksından, e-postasından ibaret sanıyorsun. Mesele bu. (Bana asla söylemediği sözleri söylemiş gibi yazıyor. Bana her gün yüzlerce mesaj gönderen *Hürriyet* okurlarını yine aşağılıyor, küçümsüyor.)

Azgın azınlıklar her cephede hezimete uğradı...

Dün bizim mahallede biraz şaşkınlık, daha fazla düş kırıklığı vardı..."

Alay etmeye kalkıştığı "azgın azınlıklar" kim? Atatürkçüler, **Atatürk** milliyetçileri, Türkiye'nin eşe dosta, yabancılara pazarlanmasına, peşkeş çekilmesine, Cumhuriyet rejiminin yok edilmesine karşı çıkan yurtseverler... Ve irticaya, din ticaretine karşı çıkıp laiklikten yana tavır koyan milyonlarca Türk insanı.

Bu yazdıkları, korkunç bir hakaretti. Ama en tepemi attıran, benim kendisine telefonda söylediklerimi bana karşı silah olarak kullanmasıydı. Çok sinirlendim.

Öğlen gazetenin yemekhanesinde arkadaşlarla birlikte yemek yerken kendisi için çok ağır sözler söyledim. Mutlaka kulağına gitmiştir.

Pazartesi ve salı günleri, yani seçimden hemen sonra, AKP yandaşlarından 700 dolayında hakaret mesajları aldım. Belli ki, bir yerden düğmeye basılmıştı. Bu gibi durumlarda birilerinin düğmeye bastığını hemen anlardım. Aynı ifadeleri, aynı sözcükleri içeren mesajlar yağardı. Çarşamba günkü yazımda bunlardan örnekler verdim. Çoğu benim gazeteden kovulmam gerektiğini savunuyordu. (Bu belgeleri de ATO'ya teslim ettim.)

"**Okuyucu Mektupları**" başlıklı bu yazımın son bölümünde Ertuğrul'a yanıt veriyordum. Yazım aynen şöyleydi:

"Sevgili okuyucularım, sizlerden her gün en az yaklaşık 150 adet yazılı mesaj alırım. E-posta, faks ve zarfta mektup. E-posta adresim ve faks numaram yazımın üzerinde vardır. Bunları gizleme, okuyucudan kaçma hakkını kendimde görmem. Zaman ayırıp bunların tamamını okurum, hatta bazılarını yazı konusu yaparım. Çoğu övgüdür. Eleştiri de gelir. Eleştirilerin tümü siyasi konularla ilgilidir. Her kesimin okuduğu bir gazeteciyim. Bunlar bazen ağır da olsa, elbette katlanmak zorundayım.

Allah'a bin şükür alnım açık... Ve bugüne kadar aşağıda yazacaklarım doğrultusunda hiçbir eleştiri almadım. Bunları, beni tanımayanların kafasında belki oluşmuş olan bazı 'yanlış anlamaları' gidermek için yazıyorum:

'Kalemin satılıktır... Çıkar karşılığı yazı yazıyorsun... Geçmişte iş takibi, aracılık yaptın, iş bitirdin... Şu pisliğe bulaşmıştın... Dün ak dediğine bugün kara diyorsun... Egemenlerin sofrasında karnını doyurdun... Eğilip büküldün, rüzgâr gülü oldun... Adamına göre muamele yaptın... Zayıfı ezdin, güçlülere yağcılık yaptın... Korktun, kıvırdın...

İktidarların, güçlülerin yağcısı, övücüsü olarak yazıyorsun... Yasa, kural ve ahlak dışı para kazandın...'

Her gün milyonların önüne çıkan, çeşitli iktidarlar döneminde 'bir şey bulursak rezil ederiz' düşüncesiyle geçmişi, ailesi ve kendisi, banka hesapları dahil olmak üzere her şeyi didik didik edilip araştırılan ve en ufak bir lekesi, açığı bulunamayan bir gazeteci için bundan daha büyük onur ve mutluluk olabilir mi?

***

Seçim bitti, AKP kazandı. Seçim sonrasında AKP yandaşlarından gelecek mesajları bekliyordum. Ben doğru bildiklerimi yazmış, savunmuştum. Ama bunlar gelecekti... Ve sadece dün, yaklaşık bin adet yazılı mesaj aldım. Yaklaşık yarısı eleştiriyordu. Bazıları AKP'nin kazanmasından sonra beni gazeteciliği bırakmaya, istifa etmeye davet ediyor, kovulmamı istiyordu. Ancak bir şey dikkatimi çekti. Bana karşıt olan okuyucuların bir bölümü, beni yanlış tanıyordu.

Birkaç örnek vereyim: 'Siz uzayda değil, kendilerinizin kurduğu sapık dünyanızda yaşıyorsunuz.' Sapık dünya! Dünyam bugüne kadar hiç sapık olmadı. 'Şarap kadehleri ellerinizde, seçim öncesinde ahkâm kestiniz.' Şarapla, içkiyle ilgim yok. Şarabı hiç sevmem. Bazen bir yemekte falan bir kadeh rakı, bazen de akşamüstü bir yudum votka içerim. İkincisini bünyem kabul etmez. On yıl içki içmesem, bir kez olsun aramam.

'Sizler villalarınızda otururken...' Villada falan oturmuyorum. Apartmanda, 135 metrekarelik mütevazı bir evimiz var.

'Biz havyarı ıstakozu bilmeyiz. Sizin gibi o masalarda oturmuyoruz. Sosyeteye dahil değiliz. O yüzden AKP'yi seçtik.' Ömrüm boyunca havyarlı ıstakozlu bir masada oturmak kısmet olmadı. Ama bir gün bunu mutlaka deneyeceğim! Sosyeteye ise hiç giremedim çünkü gece hayatım sıfır. 0 sofralarda oturanların kime oy verdiğini siz araştırın bakalım!

'Yüzde 46 sonrasında özür dilemenizi, tükürdüğünüzü yalamanızı bekliyoruz.' Neyin özürünü dileyeceğim? Namussuzluk mu yaptım? Yalan yanlış mı yazdım? İnananlar özür dilemez.

'Yıllarca dinimize hakaretler yağdırdınız. Allah'ın laneti işte böyle üzerinize yağdı. Hesabı musalla taşında verirsiniz.' Hiçbir zaman dinimize hakaret etmedim. Yaşantım ve yazılarımda bir tek örnek yoktur. Tam tersine, dinimizin yüce değerlerini savundum. Dinimizi sömüren, onu kişisel ve siyasal çıkarları için kullanan din tüccarlarına, din baronlarına karşı çıktım.

'Bu sonuçtan sonra morardın mı, sarardın mı, kanaman oldu mu? Bugün (Vakit gazetesinde) *bir gazeteci yazdı: Oyunu CHP'ye veren gazeteci arkadaşlar, kanamayı durduracak bir tamponu uygun yerlerine tıkmışlardır herhalde.' Ne diyeyim ben buna!*

'Uzaydan geldiğinize göre sizin işiniz bitmiştir. AKP'nin bu zaferinden sonra gazetecilikten istifa etmeniz veya gazetenizin sizi kovması gerekir.'"

Yazımın bu bölümü aynen çıktı. Okuyan binlerce *Hürriyet* okuru bana destek mesajı attılar. Görülmüş duyulmuş şey değildi. O kâğıda çekili mesajları da ATO'ya verdim.

***

Ancak yazımda bir de son bölüm vardı. Başöğretmenimiz (!) o bölümü makaslamıştı. Aynen şöyleydi:

"Neler olacağını şu anda bilemem. Ancak Ertuğrul Özkök'ün dünkü yazısından dersimi aldım!

'Mahallesinden birini' anlatıyor. Erdoğan'ı bu ülke için en büyük tehlike olarak gören bir 'mahalle sakini' kendisine seçim sonrasında aynen benim gibi ve arkadaşça, 'meğer biz ayda yaşıyormuşuz' demiş.

O da yanıt vermiş: 'Ayda değil kendi mahallende yaşıyorsun. Kafanı oradan dışarı çıkarmıyorsun. Dünyayı kendin gibi düşünen üç-beş arkadaşından, mahallende oturan azgın azınlığın üç-beş faksından ve e-postasından ibaret sanıyorsun. Mesele bu' demiş.

'Azgın azınlık' temsilcisi olan o 'mahalle sakini' bana epeyce benziyor!

Evet, mesajı aldım. Hayırlısı olsun!"

Böyle yazmıştım.

Ertuğrul yazımın bu son bölümünü gazeteye koyamamış, çareyi yine makaslamakta bulmuştu.

Nasıl koyacaktı ki! Ayıbını kendi elleriyle mi ortaya çıkaracaktı?

Bana karşı duyduğu kin ve nefreti suyun başında olmanın verdiği avantajla böyle sergiliyordu.

***

25 Temmuz 2007 Çarşamba öğle saatleri. Gazetedeyim. Ankara Temsilcimiz **Enis Berberoğlu** aradı.

"Emin abi, ben şimdi İstanbul'dayım. Birazdan Ankara'ya doğru yola çıkıyorum. İmre Hanım'ın (**Doğan Holding Grubu**'nun parasal işlerinin başındaki **İmre Barmanbek**) senden bir ricası var. Geçenlerde sen Maliye Bakanlığı ile ilgili bir şey yazmıştın. Citibank'ın 2 milyar dolarlık vergisinin affedilmesi..."

"Eeeee..."

"Maliye açıklama göndermiş. Onun mutlaka yayımlanmasını rica ediyor İmre Hanım."

"Enis'ciğim, ben o yazıyı yazalı 10 gün oldu. Maliye bana açıklama falan da göndermedi. Yazdıklarım doğruydu. Ajanslara âdet yerini bulsun diye tırıvırı bir açıklama gönderdiler."

"Ben elçiyim abi, elçiye zeval olmaz. Şimdi bizimkilerin Maliye'den çok büyük bir beklentisi varmış, açıklamayı kullanmanı rica ediyor İmre Hanım."

"Bu saatten sonra ben niye açıklama kullanayım? Hem de bana gönderilmemiş bir açıklama! Aradan zaten 10 gün geçmiş. 10 gün sonra açıklama mı olur! Kusura bakmasınlar."

Enis beni iyi niyetle arıyordu. Açıklamayı yayımlamadım. Kimse de daha sonra bir şey söylemedi. İnşallah Maliye'deki işleri aksamamıştır!

***

27 Temmuz 2007 Cuma. Saat 20.00. Evdeyim. Ertuğrul aradı:

"Bırak artık AKP'ye kılıç çekmeyi. Herifler dört yıl daha başımızda olacak. Burası kavga verilecek gazete değil. Bunlarla bizim bin tane işimiz var. Sen bir izne çık. Yoruldun artık."

Burada haklıydı. Gerçekten çok yorgundum. Aradan yaklaşık 11 ay geçmiş ve bir gün bile tatil yapmamıştım.

Geçen ocak ayında da aynı istemi dile getirmişti. "İzne çık, hükümeti eleştirme ya da gazeteden ayrıl, sana çok büyük olanaklar sağlayalım!"

"Ertuğrul izne zaten çıkacağım da, dünkü yazım CHP, bugünkü MHP ile ilgili. AKP'ye kılıç çektiğim falan yok. Sen ne konuşuyorsun?"

"Yarın çıkacak yazında **Ergün Poyraz**'ın gözaltına alındığını yazmışsın. Kim bu herif yaaa? Başbakana, **Abdullah Gül**'e saldıran kitaplar yazdı. Ayıp değil mi? Birisi bunları bizim için yazsa hoşumuza gider mi?"

"Kardeşim, bu haber bütün gazetelerde yer aldı. Ne ilginçtir, seçimi kazanır kazanmaz **Ergün Poyraz**'ı içeri aldılar. Sence bir bit yeniği yok mu burada? Yoksa benim yazıyı yine makaslıyor musun?"

"Yok, hiç dokunmadım. Aynen çıkacak."

Oysa dokunmuştu. Yazı üç bölümden oluşuyordu ve üç başlık vardı:

Cadı Kazanı 1. Cadı Kazanı 2. Cadı Kazanı 3.

Bunların iktidarı rahatsız edeceğini düşünmüş olmalı ki, yerine kendi kafasından yeni başlıklar koymuştu. Şimdi sıra yazılarımın başlığına gelmişti anlaşılan! İşin ilginç yanı, inkâr ettiği halde yazımdaki bazı ifadeleri yine çıkarmıştı.

Cümlenin orijinali: *"(...) sözleri, TMSF'ye, yani devlete ait olan Sabah gazetesinde dün yer aldı."*

Sanki gizli bir şeymiş ya da hakaret, yalan veya suç varmış gibi, bu cümle gazetede şöyle çıktı:

"...sözleri Sabah gazetesinde dün yer aldı."

Aynı biçimde aşağıdaki cümleler çıkarılmıştı:

"(AKP için) *Elde ettikleri çoğunlukla çok şeyi değiştirmeyi umut ediyorlar. Göreceğiz."* (Sansür!)

"Yeni Meclis henüz toplanmadı. Hükümet kurulmadı. Fakat çark çok acele döndürülmeye başlandı." (Sansür!)

"AKP iktidar olmasaydı bunları yine yaşayacak mıydık? Elbette hayır. Zaferin sonucu olarak cadı kazanı kaynamaya başladı. Biraz erken oldu ama ne yapalım! Sonucunu da hep birlikte görürüz." (Sansür!)

Korku dağları bürümüştü.

Bir yanda korku ve parasal çıkarlar, bir yanda ben!

***

28 Temmuz 2007. Bugünkü yazısında yine isim vermeden bana vuruyor. Hem de çok net cümlelerle. Yazısının başlığı "**Cemaatte Taşınma Zamanı**". Özetliyorum:

"Bundan birkaç yıl önce hepimize, yani köşe yazarı sınıfına seslenip şunu yazmıştım:

'Bu köşeler babamızın malı değildir.'

Bugün bir adım daha atıyorum. Bu köşeler babamızın malı değilse, ait olduğumuz cemaatlerin malı hiç değildir.

Bu seçim (22 Temmuz) durumumuzu yeniden gözden geçirmek için çok iyi bir fırsat oldu.

Diyorum ki, 'şimdi teneffüse çıkma' zamanı.

Şöyle biraz dışarı çıkıp temiz hava alalım.

Emin olun, cemaat evlerinin havasının ne kadar kirli, ne kadar ağır, ne kadar kâbus gibi üstümüze abandığını anlayacağız. Oksijen dimağımızı açtıkça, körlüğümüzün farkına daha çok varacağız.

Artık cemaat evlerini boşaltmanın zamanı geldi. Çünkü bu cemaat taassubu Türkiye'ye çok zarar verdi.

Köşelerden verilen ucuz kavgalar, şahsi kahramanlık menkıbeleri, 'bir tek ben dürüstüm, geriye kalan herkes namussuz' babalanmaları bir günde demode oldu.

Hakaret, aşağılama, belgesiz suçlama, oduncu baltası gibi durmadan adam dövme kültürü, daha doğrusu kültürsüzlüğü, hüsrana uğradı.

'Tanrı yazarlar' için de artık ölümlüler katına inme zamanı geldi.

Cemaat şeyhlerinin, köşe babalarının süngüsü düştü. Sokakta asayiş sağlandı. Artık herkes rahatça sokağa çıkabilir."

Kovma mesajlarını, hem de böyle gerçekleri çarpıtan cümlelerle artık açıkça vermeye başlamıştı. Bir yandan bunları yazarken, öte yandan AKP'ye selamlarını gönderiyordu.

Evet, hiç sıkılmadan bunları yazabiliyordu. Gazetenin o tepe noktasına kurulmuş, başkalarının yazmasına izin vermiyordu.

Hürriyet okurları kendisinden nefret ediyordu. Bana bu konuda gelen ve gönderilen binlerce mesaj şimdi ATO arşivinde yatıyor.

Okurlardan kaçıyordu. Köşesinde e-posta adresini, faks numarasını bile veremiyordu... Çünkü kendi gazetesinin okurlarından gelecek tepkiyi göğüsleyecek yüreğe sahip değildi. Sütre gerisine gizlenip iktidara övgüler düzüyor, patronu ve sermayenin katrilyonluk çıkarları doğrultusunda gazete çıkarıyor, sırça köşkünden böyle tek taraflı verip veriştiriyordu.

Yazısında sözünü ettiği "cemaatler" elbette ki yobaz tarikat yuvaları, din baronlarının yönettiği topluluklar, **Atatürk** ve Cumhuriyet düşmanlarının kitleleri değildi. Onlarla arası her zaman iyiydi.

Bizlerdik!..

Sırf AKP iktidarı ile olan işleri yürüsün diye bu yükün altına girmeyi içine sindirmişti. Dünyaları kazanç ve para üzerine kuruluydu. Emme basma tulumba çalışıyordu. Onlar AKP'yi överek ya da sessiz kalarak ve görmezden gelerek ortam yaratıyor, karşılığında işleri en az aksama ile yürüyordu.

Bunu *Hürriyet* ve **Doğan Medya Grubu**'nun bütün çalışanları biliyordu. Herkes her şeyin farkındaydı. Tepede milyarlarca dolarlık çıkar ilişkileri yatıyordu. Bu ilişkilerin yara almadan sürmesi için bir tek koşul vardı:

İktidara karşı çıkmamak. Görmemek. AKP'nin hoşlanmayacağı haberleri mümkün olduğunca kullanmamak. Ya da çok ender kullanıp bu yolla okurların gazını almak!

Beni kafakola almak için sürekli söylediği bir söz vardı:

"Biz bunlarla er veya geç papaz olacağız! Sen yumuşak yaz, zamanını bekle."

Seçim sonrasında bir kez daha AKP gelince, övücülük ve yağcılık süreci "görmedim, duymadım, ben karışmam" anlayışıyla sil baştan başlatıldı.

AKP iktidarı döneminde muhabir arkadaşlarımız dört dörtlük belgeli yolsuzluk ya da iktidarı rahatsız edecek haberler yakalardı. Bunlar haber yapılır, İstanbul'a geçilir, ancak gazeteye asla girmezdi. Girmeyeceğini muhabirler de bilirdi. Sonra bazıları bana gelip "Abi şu olayı sen yaz" derlerdi. Bazısını yazardım.

Gazete magazin ağırlıklı çıkıyordu. Cinayet, gasp, tecavüz, dedikodu, zengin boşanması... Hele tecavüz olayları öyle anlatılıyordu ki, meraklısının ağzının suları akıyordu!..

Grupta muhalefet yapan tek gazete olan *Gözcü*'yü "Zarar ediyor" gerekçesiyle seçimden önce kapamışlardı. Gerekçe tamamen yalandı. *Hürriyet* dışında öteki gazete, dergi ve televizyonların çoğu da büyük zarar ediyordu ama onları kapamak akıllarına gelmiyordu... Çünkü onlar AKP'yi rahatsız etmiyordu.

Sedat Ergin'in başında olduğu, düzgün çıkan *Milliyet* dışında, ötekiler ya magazin ya da yağcılık ve övücülük peşindeydi.

Bu gazeteye 22 yıl emek vermiştim. **Doğan Grubu**'nda dolandırıcılıktan hüküm giyenler, geçmişteki iş takipçileri, 2. Cumhuriyetçiler, Kürtçüler, ne ararsanız vardı. Ben kötü adam olmuştum çünkü başımı eğmiyor, ödün vermiyor, rüzgâra göre yön değiştirip onurumu çiğnetmiyordum.

Seçim öncesinde bir umut (!) vardı. Olur da bir mucize gerçekleşir, AKP tek başına iktidara gelemez. Belki bir koalisyon kurulur. AKP-CHP, AKP-MHP, ya da CHP-MHP...

O zaman koşullar belki değişecekti. Ama AKP bir kez daha tek başına geldi... Ve teslim bayrağı iyice çekildi.

Seçim sonrasında, iktidara büyük destek veren İslamcı basın ve ötekilerde yazılar ve haberler çıkmaya başladı:

"Emin Çölaşan ve benzerleri artık tasfiye edilmelidir. Kovulmalıdır."

Bunlar açıkça yazılıyordu.

Günler böyle geçti. Ağustos 2007'ye geldik.

Çok yorulmuş, bunalmıştım.

AKP döneminde beş yıldır çektiklerimi ve yaşadıklarımı bir Allah biliyordu, bir de ben.

İzin yapacağım. Sonrasında ne olacağını hep birlikte göreceğiz.

TATİLE GİDİŞ!

Yorgunluktan bayılacak gibiyim. Beynim durmuş. Artık gün sayıyorum. Tam 11.5 ay geçmiş ve bugün yarın derken bir tek gün bile tatil yapmamışım. Cumhurbaşkanlığı seçimleri gündeme gelmiş, seçim yapılmış ve AKP kazanmış, bin tane konu. Güya pazar günleri tatil günüm! O gün **Mustafa Balbay**'la canlı yayındayız ve onun gerilimini yaşıyorum. Dahası, oradan çıkıp gazeteye gidiyorum ve işleri bitiriyorum. Çünkü hafta arasında yapamadığım bir sürü iş var. Zaman yetmiyor. Okuyucu mesajlarını okuyorum, dosyaları okuyorum, eksik kalan işleri bitiriyorum. O kalan işleri temizliyorum.

12 Ağustos Pazar günü **Mustafa Balbay**'la *ART*'deki son programı yapıp tatile çıkacağız. Dört hafta program yok. Dört hafta için izleyenlerden izin istedik. Dört hafta olmayacağız, 16 Eylül Pazar günü yeniden başlayacağız.

"Ankara Rüzgârı" isimli bu programı pazar sabahları Mustafa ile yapıyoruz ve inanılmaz bir rağbet görüyor. Her programda izleyenlerden en az 400 mesaj geliyor ki, muhteşem bir olay.

İktidara bindirdikçe bindiriyoruz. Tahmin ediyorum her pazar en az bir milyon kişi tarafından izleniyoruz.

ART'den çıkıp gazeteye gittim. Pazartesi günleri yazım çıkmıyor. Salı günü için bir yazı hazırladım. Başlığı "**Vay Vay Vay**". **Atatürk**'e söven bir İslamcı dergiden alıntılar.

Çarşamba günü izin yazım çıkacak. Onu da yazdım.

İzne çıkarken okuyuculara duyduğum saygı gereği mutlaka bir şey yazıyorum.

Bazılarının yaptığı gibi köşede "Yazarımız yıllık izninin bir bölümünü kullanmaktadır" gibi klasik cümleyi kullanmayı ayıp sayıyorum. Çünkü *Hürriyet* okurlarıyla aramızda kurulmuş inanılmaz bir gönül bağı var. Onlara saygısızlık hiç yapmadım, izin çıkışlarında da yapamam.

Pazartesi günü yolda olacağım. Ben tatilde iken salı ve çarşamba günleri bu iki yazı çıkacak.

İzin yazımı yazdım. Başlığı "**Tatile Gidiş**". 15 Ağustos Çarşamba günü çıkacak:

"Sevgili okuyucularım, tam 11.5 aydan bu yana bir tek gün bile tatil yapmadığımı söylersem belki bana inanmayacaksınız. Ama gerçek bu.

Artık iyice yoruldum.

Beynim ve bedenim daha fazlasını kaldırmayacak. Beden yorgunluğunu gidermek kolay. İyi bir uyku uyursunuz, her şey geride kalır.

Ancak beyin yorgunluğunu gidermek çok zor. Ortamdan uzaklaşmak, farklı yerlerde bulunmak, bu yorgunluğu gidermenin tek koşulu.

Bugünden itibaren biraz uzunca bir tatil yapacağım.

***

Bu yazıyı okuduktan sonra (yazılarıma burada yeniden başlayana kadar) bana lütfen faks çekmeyin, mektup yazmayın, mesaj atmayın...

Çünkü biriken binlerce metni tatil dönüşünde tek tek okumak mümkün olmuyor ve bana yazdıklarınız boşa gidiyor. Eylül ayının ilk yarısında yeniden birlikte olmak umuduyla sizlere saygılarımı ve en iyi dileklerimi iletiyorum.

Hoşça kalın efendim."

Salı ve çarşamba günü çıkacak iki yazıyı Ankara'da bizim bilgisayarcı arkadaşlara teslim ettim. İlki pazartesi günü geçilip salı günü çıkacak, izin yazım salı günü geçilecek ve çarşamba günü çıkacak.

Ohhh, işim bitti.

Şimdi gideceğim, gerilimsiz ve koşturmacasız birkaç hafta yaşayacağım, denize gireceğim, açık havada dolaşacağım. Bedenim, beynim ve ruhum dinlenecek.

Pazartesi günü önce İzmir'e gidip iki gün kalacağım, sonra Ayvalık'a geçeceğim.

Tansel ve **Bekir Coşkun** Ayvalık'ta. Bekir uzun süredir orada ve yazılarını oradan yazıyor. Birlikte bir tatil yapacağız. Acemi kaptan **Urfalı Bekir**'in orada bir teknesi var. Biraz tehlikeli olmakla birlikte gezeriz, belki başka yerlere de gideriz.

Urfalı, kaptan ehliyetini Ankara'da Eymir gölünde torpille aldı. O güne kadar denizi görmemiş, kullanmak bir yana, tekneye hiç binmemişti. Ayvalık'ta tekne aldı. Gezerken yanlışlıkla sahile çarptı. Bir keresinde rotayı şaşırıp Midilli adasına giderken Yunan hücumbotları tarafından geri çevrildi.

Onun teknesine binmek yürek işidir ama ben bineceğim!

İZMİR YOLUNDA SÜRPRİZ

13 Ağustos 2007 Pazartesi. Gazetenin arabasıyla kaptan pilot **Bahattin Doğan** yönetiminde İzmir'e doğru yola çıktık. Aman Allahım, neredeyse bir yıldan beri ilk kez açık havadayım. Bozkırı seyrediyorum, gelen geçen araçlara bakıyorum, ağaçları, elektrik direklerini, demiryolunu görüyorum. Benzin istasyonları, restoranlar, oralara girip çıkanlar...

Gökyüzü masmavi. Bulutlara bakıyorum. Neredeyse başka bir dünyadayım.

Afyon'a geldik. Arabada su ve sandviçler var. Yemek yemeden devam edeceğiz çünkü Bahattin beni bırakıp aynı gün Ankara'ya dönecek.

Bahattin'in cep telefonu çaldı. Bekir'le ikimizin sağ kolu Leyla arıyor.

"Emin abicim, Ertuğrul Bey sizi arıyor. Aktarıyorum."

Bu arkadaşın beni araması hiçbir zaman hayra alamet değildir. Ertesi gün çıkacak yazımda mutlaka bir terslik (!) bulmuştur ve o yüzden arıyordur. Bütün keyfim bir anda kaçtı ve telefonu aldım. Gayet tatlı, yumuşak konuşuyor:

"Emincim ne haber? İzmir'e gidiyormuşsun ha?"

"Evet öyle."

"Neredesin şimdi?"

"Afyon civarındayız."

"Yav sen yarın İzmir'de olacak mısın?"

"Evet, yarın İzmir'deyim. Bir gün kalacağım."

"Ben de yarın İzmir'e geleceğim. Gel sana güzel bir yemek yedireyim Deniz Restoran'da. Sen öğlen mi uygunsun akşam mı?"

"Sen ne yapacaksın yarın İzmir'de?"

"Benim bir üvey kardeşim var, onun çocuğu evlenecek de, aile arası bir toplantı yapacağız. Öğlen mi buluşalım akşam mı? Sana hangisi uygun? Deniz Restoran'da güzel bir balık yeriz, şarap içeriz."

"Öğlen olsun o zaman. Yarın çıkacak yazımda bir sorun var mı?"

"Yok yok. Her şey gayet iyi."

Bana Kordon'da Deniz Restoran'ı tarif etti. 13.30'da buluşacağız.

Hayırdır inşallah!

***

İnciraltı'nda Crowne Plaza otelinde kalacağım. Önce gazeteye uğradık. Bahattin Ankara'ya dönecek. Gazeteden bir araba verdiler, eşyaları içine koyduk. O araba beni otele götürecek. Gazetedeki arkadaşlara "Yarın Ertuğrul da geliyor, üvey kardeşinin çocuğu evlenecekmiş" dedim, hiç kimsenin haberi yok!

Bir miktar pirelendim. Çünkü onun gelişini mutlaka biliyor olmaları gerekir.

Otele gittim, çocukluğumdan beri görmediğim İnciraltı'nda biraz gezindim. Tatilim başlamıştı! Deniz kıyısında yürürken hep bunu düşünüyordum. Mutluydum.

Ertesi sabah gazeteleri okudum. O gün, yani 14 Ağustos 2007 Salı günü çıkan yazısının başlığı ilginçti:

"Bekir Coşkun'unki Allah Vergisi"

Yazısında Bekir'e ve gazeteye büyük tantanalarla aldığı **Yılmaz Özdil**'e övgüler düzüyor ve şöyle diyordu:

"...Samimiyetle, duyguyla, bilgiyle, mizahla, tarafsızlıkla yapılan muhalefet, çifte su verilmiş çelik gibi oluyor.

Ona kimsenin itirazı kalmıyor.

Ama hakaret, iftira, takıntı, lakap takma, haksızlık gibi şeyleri muhaliflik gibi sunmaya kalkıştığınız zaman iş değişiyor.

Onları okudukça şunu düşünüyorum:

Bu tavır özünde iktidara muhalif değil, tam aksine müttefik bir tavırdır.

Ki o da takiyyenin bir başka türüdür.

İşte bu duygularla Yılmaz Özdil'e aramıza hoşgeldin diyorum. Onun yeri burasıdır. Yani doğduğu yeri bulmuştur."

Yazısı bana, benim için yazdığı mektuplardan biriydi. Bunu sadece erbabı anlardı! Yılmaz için günlerce birinci sayfadan büyük anonslar vermişti:

"Büyük Yazar Büyük Gazetede."

Suyumun iyice ısındığını, tezgâhın kurulduğunu, bu arkadaştan sonra benim kovulacağımı İstanbul *Hürriyet*'teki kulağı delik arkadaşlar bana söylemişti. İnanmamıştım.

Sabah yazısını okudum.

13.30'da buluşacağımız restorana geldim.

Ertuğrul da geldi. İçeriye oturduk. Bugüne kadar AKP dönemindeki her konuşmamızda olay çıkmıştı. Bakalım bu kez torbadan civciv mi, yoksa kuş mu çıkacaktı!

Yine baba nasihatı mı verecekti!.. Başöğretmen edasıyla karşısındaki ilköğretim okulu öğrencisine (!) neler diyecekti! Hangi vaatlerde bulunacak, patronun hangi isteklerini bana iletecekti!

Biraz meze söyledik. Masaya özel getirilen 15-20 şişe şarap arasından bir Avustralya şarabını seçti. Mezeler, otlar falanla ilgili biraz muhabbet ettik.

Telaşlı ve ezikti. Birkaç dakika sonra doğrudan konuya girdi.

"Bak arkadaş, **Aydın Bey** artık seninle çalışmak istemiyor. Diyor ki, 'Beni patron olarak takmıyor ve tanımıyor. Beni dışarıya karşı zor durumda bırakıyor. Ben AB'den yanayım, Emin AB'den yana olanlara hain diyor. Beni de hain yapıyor. Ben özelleştirmeden yanayım, Emin karşı çıkıyor. Ben buna daha fazla dayanamam. Emin takım oyununun dışında kaldı' diyor. Yani artık seni *Hürriyet*'te istemiyor. Bu kararı kesin olarak verdi. Ben de sana bildiriyorum."

Bu arkadaşla bu gibi saçma ve saptırılan konularda tartışmaya girmenin hiç gereği yoktu. Sordum:

"Yani bu işin Türkçesi, kovuldum mu?"

"Evet öyle."

"Canın sağ olsun yav Ertuğrul, hiç dert değil. Bu benim üçüncü kovuluşum. Önce henüz 27 yaşında iken Devlet Planlama Teşkilatı'ndan kovuldum, Danıştay işlemi iptal etti. Sonra sendika kavgasından PETKİM'den kovuldum, iş mahkemesinde dava kazandım. Ben alnı açık, namusuyla kovulanlardanım."

"Neyse canım, bırak bunları şimdi. Patron seninle çalışmayacak. Bu kesin karardır. Bu zor görevi sana bildirmeyi ben üstlendim. Tansu (karısı) dün gece bana 'Bunu Emin'e nasıl söyleyeceksin' dedi ama çarem yok. İnan ki dün gece bir şişe şarap içip yattım. Biliyorsun, patron Bodrum'da. (Orada kendi tatil köyündeki villasında kalır.) Sen şimdi bugün onu bir ara. Bir randevu al yarın için. Buradan Bodrum iki saat. İkiniz konuşun. Patron duygusal adamdır. Hele son yıllarda daha da duygusal oldu. Her şeye kızıyor, alınıyor."

"Ne konuşacağız arkadaş? Ben kovulmuşum. Bana kovma tebligatı yapıyorsun, sonra da patronla konuşmamı istiyorsun. Komik yani. Neyi konuşacak kovulan bir adam?"

"Sen ara be kardeşim! 'Patron nasılsın' de. Git Bodrum'a, gönlünü al."

"Ertuğrul saçmalama."

"Adam senin yüzünden *Hürriyet*'ten soğudu. Bak, kaç yıl oldu, Ankara'ya geldiğinde senin yüzünden *Hürriyet* binasına adımını atmıyor."

"Yav bunu belki ellinci kez konuşuyoruz. Ben bıktım artık. Aydın Bey'e bir saygısızlık mı yaptım? Arkasından mı konuştum? Ya da gazetede veya özel hayatımda bir üçkâğıt, namussuzluk veya ahlaksızlık mı yaptım? Ta 2004 Mart ayında bana kendisi küstü. Niye küstüğünü de anlayabilmiş değilim. Ne yapayım yani ben? Bodrum'a gidip af mı dileyeceğim? Sen beni hiç mi tanımadın? Ben bunları yapacak biri miyim?"

"Bugün arayıp randevu al, yarın yanına git be kardeşim. 'Patron nasılsın' de. Bu dünyada sadece siyahla beyaz yok. Öteki renkler de var. Hayatın tadı öteki renklerde, grilerde. Bu kadar katı olma, biraz esnek ol. Konuşursan belki bazı konularda anlaşırsınız."

"Hangi konularda?"

"Ne bileyim ben! Bak, ne güzel koşullarda yaşıyoruz. İyi para kazanıyoruz, yüksek maaşlar alıyoruz, hayatın bütün zevklerini patron sayesinde yaşıyoruz. Bize sağladığı bu olanakların kıymetini bil."

"Kusura bakma da, ben de bu gazeteye az şey vermedim. On binlerce okuyucu kazandırdım. Onlar benim için alıyor bu gazeteyi."

"Neyse, haydi bakalım, beğendin mi bu şarabı? Nefistir."

"Ben anlamam şaraptan maraptan. Sen beğendiysen iyidir. İşin uzmanı sensin."

"Yani patron bana da sık sık küser ama ben aldırış etmem. Esnek davranacaksın böyle konularda. Ben senin gibi katı değilim. Bir seferinde bana iki ay küstü. Bazen kovmaya kalkıştı. Hatta benim yerime **Seçkin Türesay**'ı, **Güneri Civaoğlu**'nu getirme kararı aldı. Ama ben hep esnek davrandım, gönlünü almayı bildim ve işi bitirdim."

"Helal olsun sana! Ben bir hata yapmış olsam, bugüne kadar bin kere özür dilerdim. Öyle bir durum yok. Bir ahlaksızlık yapmadım, namussuzluk yapmadım, hırsızlık yapmadım. Neyin gönlünü alacağım bu saatten sonra? İktidar bastırdı, siz de beni kovdunuz. Daha ne?"

"Torunlarımın üzerine yemin ediyorum, bu olayda hükümetin, iktidarın isteği veya baskısı yok."

"Ertuğrul, her seferinde işe torunlarını karıştırma. O günahsız küçük çocukları yeminlerinde bu işe katma lütfen. Beni kaç kere şikâyet ettiklerini ben bilmiyorum ama sen biliyorsun. Tamam tamam. Her şey rastlantı! Seçim oluyor, AKP ikinci kez iktidara geliyor ve üç hafta sonra beni kovuyorsunuz. Ama iktidarın baskısı maskısı yok! İktidardan korkmak da yok!"

"Yemin ediyorum ki yok. Sen bugün hemen patronu ara, yarın Bodrum'a git, bir konuş. Aslında ikinizin arasındaki krizi ben de iyi yönetemedim. Ben ikinizin arasında pestil gibi ezilip kaldım. Patron son zamanlarda çok duygusal bir adam oldu. Eski **Aydın Doğan** değil artık. Hele senin o Kelkit yazın bardağı taşıran son damla oldu. Onu yazmayacaktın. Aslında orada benim de büyük kabahatim var. O yazıyı koymamalıydım. Adam Kelkitli ve sen yazında Kelkit'e bindiriyorsun. Onu hazmedemedi."

"Yav kardeşim ben bir yere bindirmiyorum. O olay başka bir yerde olsaydı yazmayacak mıydım? Kelkit'in dokunulmazlığı mı var? Benim yazım yalan mı? Zaten zorlama bir tekzip yolladılar, onu da birkaç gün sonraki yazımda kullandım. Şimdi bir de Kelkit mi çıkarıyorsunuz başıma? Bu da bahane mi oluyor yani beni kovmanıza? Madem öyledir, niye o yazıdan sonra beni arayıp bir şey söylemediniz? Aydın Bey eski hukukumuzla arayıp bir şey diyemez miydi? Olayı böyle şeylerle örtbas etmeye, saptırmaya, bahane yaratmaya kalkışmayın lütfen. İktidardan korkuyordunuz, beni şutlamak zorunda kaldınız. Hangi gazeteci, patronun ilçesinde asılı afişleri yazdı, fotoğrafını yayımladı diye işten kovulur yahu? Eğer öyleyse bu da basın tarihine geçecek bir faciadır."

(Burada bir parantez açıyorum. *Milliyet*'in Genel Yayın Yönetmeni dostum ve arkadaşım **Sedat Ergin** 30 Ağustos günü Ankara'ya geldi ve ikimiz öğle yemeği yedik. Sedat şunu söyledi: "Patron sana zaten kızıyordu ama kırılma noktası, işin koptuğu yer senin 27 Mayıs tarihli Kelkit yazın oldu." Anladığım kadarıyla bahane arıyorlarmış, Kelkit bardağı taşırmış!)

"Neyse, ortada bir kriz var."

"Bak Ertuğrul, kriz falan yok. Aydın Bey AKP iktidar olunca korktu, yazılarım yüzünden bana tek taraflı küstü. Olay budur. Bir hatam olduğunu bilsem özür dilerim. Yok böyle bir olay."

"Bak... (Yandaki sandalyede duran ceketinin cebinden küçük bir alet çıkardı.) Senin yüzünden cebimde hep bu aletle geziyorum. Bu Blackberry marka muhteşem bir şey. Dünyanın neresinde olursam olayım senin İstanbul'a geçtiğin yazılarını ânında bana bu alete geçiyorlar."

"Demek ki sansürleri bu aletle yapıyordun."

"Cumhuriyet mitinglerinde, POAŞ olayında patrona ve bizim **Doğan Grubu**'na ana avrat sövüldü. Bir tek satır yazıp patronu ve *Hürriyet*'i savunmadın."

"Demek ki bu yüzden takım olayının dışında kaldım! Şimdi bu da yeni bir kovma bahanesi mi oluyor? Bak arkadaş, bu gazetede takım oyunu falan yok. Herkes en küçükten en büyüğe kadar sana ve patrona korkunç bozuk. Bugüne kadar **Doğan Medya Grubu**'ndan kovup sokağa bıraktığınız binlerce insanın ah'ı üzerinizde. Neyse, bunlar artık konumuz değil. Sadece bilesin diye söylüyorum. Ben bu gazeteye 22 yıl açık alınla hizmet verdim. Bugün de kovuldum. Hiç sorun değil. Gereğini yaparız... Ertuğrul hatırlıyor musun, Ankara'da bir gün Sedat'ı, beni ve Bekir'i Hilton otelinde kaldığın kral dairesinde kahvaltıya çağırmıştın. Mart 2004... O gün veya ertesi gün iplerimiz iyice kopacaktı. Biraz kapışmıştık. Sen orada çok ilginç bir laf etmiştin. 'Arkadaşlar ben burada gazetecilik yapmıyorum, cambazlık yapıyorum. Ben *Hürriyet*'i, patronu, kızlarını ve damadını idare ediyorum. Ben gazeteci değilim beyler, ben cambazım' demiştin. Sonra da bir başka gün, beş topu birden havaya atıp yere düşürmemeye çalışan bir jonglör olduğunu söylemiştin."

"Hatırlamaz olur muyum. Doğrudur, ben cambazım, ben jonglörüm."

"Ama ben cambaz değilim. Ben gazeteciyim Ertuğrul. Aramızdaki fark bu."

"Neyse yav, boşver şimdi bunları. Sen bugün mutlaka patronu ara, yarın Bodrum'a git ve onunla konuş. (Bunu o yemek boyunca belki altıncı kez söylüyordu. Bana patronun sekreteri Arzu'nun cep telefonlarını verdi randevu almam için.) Lütfen esnek ol. Katı olma. Siyahla beyaz dışındaki öteki renkleri de gör hayatta. Hayatın zevki oralarda. Biz patronla sık sık muhabbet ederiz. Onun bana hep söylediği bir şey vardır. 'Bir gün dünyaya yeniden gelsem senin yerinde olmak isterim, *Hürriyet*'in genel yayın yönetmeni olmak isterim' der. Ben de ona 'Valla patron ben yeniden gelsem dünyaya, **Doğan Medya Grubu**'nun sahibi olarak gelmek isterim' derim ve gülüşürüz... Sana şunu da söyleyeyim, dünyada artık hiçbir büyük medya grubu sadece yayıncılıktan para kazanmıyor. Hepsinin yan işleri var. Bizim de var. Sen nasılsa açıkta kalmazsın. İstediğin yerde iş bulursun."

"Onlar benim sorunum. Şimdi senden bir ricam olacak. Ben Ankara'ya dönüp odamı toplayacağım. Sakın ola ki Ankara'ya 'Bu adamı gazeteye sokmayın' diye emir vermeyesin. Çünkü binlerce dosya, belge, kitap var. Toplamak, tasfiye etmek en az iki haftamı alır."

"Olur mu öyle şey, istediğin kadar git gazeteye. İşin bitene kadar ne yapacaksan yap."

Restoranın kapısı önünde vedalaştık.

"Sen otele mi gidiyorsun?"

"Evet, hadi eyvallah."

"Güle güle."

İşin bana koyan ve acıtan yanı, bir teşekkür etmedi. "Sağ ol arkadaş" demedi.

Burada itiraf ediyorum, bunları konuşurken kendisine bir soru sormam gerekiyordu, aklıma gelmedi:

"'Kovulmana patron karar verdi' diyorsun. Senin bu konudaki fikrin nedir? Karşı mı çıktın, patronu kırmamak için karşı çıkamadın mı, ya da büyük destek mi verdin? Ya da kovulmamı sen mi istedin de tebligatı **Aydın Doğan** adına yapıyorsun?"

Bunu sormak gerçekten aklıma gelmedi.

Günlerden 14 Ağustos 2007 Salı.

O gün, tam 22 yıl hizmet verdiğim *Hürriyet*'te "**Vay Vay Vay**" başlıklı yazım vardı. Son yazımın bu olacağını nasıl bilebilirdim! Ertesi gün izin yazım çıkacaktı. O hiçbir zaman çıkmadı! Beşinci sayfa boştu.

Deniz Restoran'a çağrılmış, sözlü tebligatla kovulmuştum!

Sonradan öğrendim ki, Ertuğrul'un üvey kardeşinin çocuğunun evlenmesi, o nedenle yapılacak aile toplantısı falan hikâye imiş! Öyle bir olay, İzmir'e o iş için gelişi falan yok. Tebligat için gelmiş.

***

Arabaya bindim, otele gidiyorum. *Hürriyet*'te 22, gazetecilikte 30 yıllık onurlu yaşam bir kalemde silinip gitmiş. Duygularımı dinliyorum. Sanki hiçbir şey olmamış gibi. En ufak bir üzüntü duymuyorum. Özür dilerim ama bu işin boku çoktan çıkmıştı. Bütün gazeteci arkadaşlarım gibi benim de meslek heyecanımı köreltmişlerdi... Çünkü her şey iktidara, paraya, kazanca endekslenmiş, gazetecilik arka planda kalmıştı.

Üzerimde inanılmaz bir hafiflik hissettim. Mutlu muydum bilemiyorum ama asla üzgün değildim.

Sinir harbi bitmiş, üzerimden büyük bir yük kalkmıştı.

"Onu yazma, bunu yazma, sert yazma, patrona destek ver, onu öven yazı yaz... Hükümeti eleştirme, Maliye Bakanına TMSF'ye kesinlikle dokunma, onlarla işlerimiz var... Başbakana vurma..."

Üstelik yazılarım sansür ediliyordu. Orada masanın başında oturuyor, yazılarımı bilerek kesiyordu. Defalarca kavga etmiştik, defalarca bir daha yapmayacağı konusunda sözler vermiş, yeminler etmişti.

Bunları yaparak beni istifaya zorluyordu.

İstifa ettiğim takdirde çok büyük para vereceklerini söyleyen kendisiydi. Pazarlık edecek, para karşılığı ayrılacak, kendimi satacaktım! İstifa etmiyordum çünkü milyonlarca insana yazılarımda mesaj veriyordum. Mevziyi tutuyordum. Bazen çok bunaldığımda güvendiğim, tanıdığım insanlara içimi döküyordum, ne yapmam gerektiğini hep birlikte tartışıyorduk. Herkes ama istisnasız herkes aynı şeyi söylüyordu:

"Sakın haaa, mevziden kaçma lüksüne sahip değilsin. Sen orada kendi adına değil, milyonlarca insan adına duruyorsun."

***

Saat 15.00 dolaylarında otele geldim. Önce Tansel'i arayıp müjdeyi verdim! Sonra düşünmeye başladım.

Beni kovmuşlardı. Fakat yemekte ısrarla **Aydın Doğan**'ı arayıp ertesi gün Bodrum'a gitmemi, patronla konuşmamı istiyordu. Bunu birkaç kez söyledi ve Aydın Bey'in sekreterinin cep telefonu numaralarını verdi. Kovulan bir insana en son söylenecek ya da hiç söylenmemesi gereken sözlerdi. Bunun anlamı neydi? Amacı neydi?

Ben patronu otele gelince hemen arayacaktım! Sonrasında çeşitli olasılıklar vardı:

1) Kızgınlığı yüzünden telefonuma çıkmayacaktı.

2) "Gel bakalım" deyip beni Bodrum'a çağıracaktı ve gidecektim. Orada bana niçin bu kararın verildiğini bir kez daha, kendi dilinden anlatacak ve kibarca "güle güle" diyecekti.

3) Beni affettiğini söyleyecekti. Fakat nasihatlar dinleyecektim. "Haydi ben sana son bir büyüklük, son bir iyilik yapayım da kal bakalım gazetede! Fakat bundan sonra çok dikkatli olacaksın. Hükümeti, Başbakanı, Maliye Bakanını eleştirmeyeceksin. Bu takıntılarından kurtulacaksın. Cici çocuk, uysal çocuk olacaksın. Bizim istediğimiz doğrultuda yazılar yazacaksın. Haydi bakalım, seni affettim. Bu iyiliğimi de unutma."

Bu üç olasılıkta da ben küçülecektim. Onurum çiğnenmiş olacaktı. Ben, hayatı pahasına **Abdülhamit**'e karşı çıkan Fizan sürgünü **Emin Bey**'in, **Atatürk**'ün Adalet Bakanı ve Kurtuluş Savaşı'nın kelle koltukta sivil kahramanlarından **Refik Şevket İnce**'nin torunu, başı dik devlet görevlisi **Umran Emin Çölaşan**'ın oğluydum.

Onlar yaşamları boyunca hep ilkeleri uğruna mücadele vermişler, dönmemişler, kendilerini bir gün olsun küçük düşürmemişlerdi.

Ben düşürürsem ruhlarını sızlatırdım.

Bunu yapamazdım.

İşin bir boyutu daha vardı: Bodrum'a gidersem olay duyulacak, belki de internetlere, basına ve televizyon kanallarına düşecek, "Kovulan **Emin Çölaşan** kendini affettirmek için Bodrum'a gidip patronuna yalvardı" diye yayınlar yapılacaktı...

Çünkü Aydın Bey'in kendisine ait tatil köyündeki evi pek çok konuğa açıktı ve beni herkes orada görecekti.

Patronu aramadım.

Akşamüstü otelden çıkıp biraz tur attım. Deniz kıyısında gezindim. Olayı bilmeyen insanlar yanıma geliyor, yazılarımı nasıl zevkle okuduklarını söylüyor... Sarılanlar, öpenler, sevgi sunanlar, birlikte resim çektirenler...

Hiç kimse kovulduğumu bilmiyor. İçimden diyorum ki "Acaba bir gün **Aydın Doğan** veya Ertuğrul şu insanlardan böyle bir sevginin, saygının binde birini görmüş müdür? Görmeleri mümkün olur mu?"

Saat 18.50. Ertuğrul otelden aradı. Patronla konuşmuş. Yarın çıkacak olan izin yazımı koymayacaklarmış. Yani iş bitmiş. Zaten bitmişti. Gazeteden ayrılan birinin izin yazısının çıkmasının anlamı yokmuş. (Bu cümlesi doğruydu.)

"Ben patronla konuştum. Sen onu aramamışsın."

"Elbette aramadım."

"Sana çok kızgın. 'Bu iş (kovma işi) izin sonunda falan olmaz. Bugün derhal bitir' dedi. El sıkışıp ayrılalım."

"İyi de, bunun koşulları ne olacak? Nasıl olacak? Biraz da onları konuşsak."

"Hepsini hallederiz. Koşulları merak etme. Yasal hakların ne ise hepsini alırsın. Sana namus sözü veriyorum, birkaç ay geçsin ve patronun kızgınlığı geçsin, ben seni yeniden gazeteye almak için uğraş vermeye çalışırım. O zaman duruma yeniden bakarız."

"Yav geç bunları be kardeşim. Neye bakacaksın? Ben böyle şeyleri bekleyecek, kabul edecek adam mıyım?"

Bu kez telefonda birbirimize iyi günler diledik. Yine bir teşekkür yoktu!

***

14 Ağustos Salı. Aynı gün. İnciraltı'nda deniz kıyısında kısa bir tur daha atıp otele geldim. Odamdayım. Saat 19.45'te telefon çaldı. İstanbul santralı arıyor. Nerede olduğumu nasıl öğrendiklerini bilemiyorum. Karşımdaki bayan sesi haykırıyor:

"Emin Bey olamaz, doğru mu bu haber? Santralımız kilitlendi. Ben sizi başka bir hattan arıyorum. Doğru mu? Okuyucular kıyameti koparıyor."

"Kovulma haberi ise doğrudur. Peki nereden duyulmuş bu?"

"*Kanaltürk* vermiş efendim, altyazı geçiyormuş."

Vay canına, *Kanaltürk* bunu nereden duymuş? Demek ki karşı taraftan duyuldu. (Bu konu sonradan kafama takıldı. Gazeteciler dahil hiç kimse gazeteciye haber kaynağını sormaz ama birkaç gün sonra **Tuncay Özkan**'a sordum. Kendisi dışarıda iken haber Havva'ya *Milliyet*'ten gelmiş. Havva haberi altyazı olarak geçmeye başladığında Tuncay "ya doğru değilse" diye korkmuş. Havva kesin doğru olduğunu söylemiş.)

Santralla konuşmamız bitti. Telefonu kapattığım anda yeniden çalmaya başladı. *Kanaltürk* verince haberi bütün Türkiye ânında duymuş. Şimdi size bir şey anlatacağım, belki inanmayacaksınız ama doğrudur.

Saat 20.00'den başlayarak gece tam 24.00'e kadar otel odamın telefonu hiç ara vermeden çaldı. Kapattığım anda tekrar çalıyor. En ünlü isimlerden, gazetecilerden, hiç tanımadığım kimselere kadar karşımda. *Hürriyet* çalışanları bu kararı alanlara küfrediyor. Bazıları ağlıyor. O gece ben diyeyim 300, siz deyin 500 konuşma yaptım. Geceyarısına doğru başım ağrıdı, dilim kurudu.

Bazı arayanlar sonradan anlattı. Otel santralı "Sizi sıraya sokuyorum, beşinci sıradasınız. Beklerseniz sıranız gelince bağlanırsınız" diyormuş.

Tuvalete gitmem gerekiyor, gidemiyorum; çünkü kapattığım anda telefon yeniden çalıyor. Karşıma kim çıkarsa onunla konuşuyorum.

Hangi otelde kaldığımı bütün Türkiye öğrenmişti. Bu nasıl olmuştu, şimdi bile anlayabilmiş değilim.

Yönetimden rahatsız olan **Bekir Coşkun**'un da istifa ettiği söylentisi dolaşıyor.

Haberi duyan Cumhurbaşkanımız **Ahmet Necdet Sezer**, Tansel'i arayıp ne olduğunu sormuş ve geçmiş olsun dileklerini iletmiş.

Saat 23.30 dolaylarında bir boşluk oldu. Önce tuvalete gittim, sonra otel santralını aradım. Gece saat 24.00'ten sonra telefon bağlanmamasını rica ettim. 24.00'te telefonlar kesildi. Biraz hava almak için lobiye indim, verdiğim zahmet için santral görevlisi arkadaşa teşekkür ettim. Çok şaşırmıştı:

"Emin Bey, ben hayatımda böyle bir şey yaşamadım. Birçok kişi de beni azarladı çok beklediği veya bağlanamadığı için. Bir sürü ünlü insan aradı sizi. Pardon, bir şey mi var?"

Hürriyet'ten kovulduğumu, o yüzden arandığımı söyledim.

O gece sabaha kadar hiç uyumadım. Otel odasında sürekli sigara iç, bir aşağı bir yukarı dolaş ve düşün. Kararımı sabaha karşı verdim. Bütün belgeler, bilgiler elimde. Ben bu işin kitabını yazacağım.

Yarın İzmir'de son günüm olacaktı. İzmir'e her gelişimde olduğu gibi anne tarafımın Karşıyaka, baba tarafımın Karabağlar kabristanındaki mezarlarını ziyaret edip dua edecektim.

Programı değiştirdim. Gün ağarırken biraz otelin dışına çıktım, açık havada gezindim.

15 Ağustos 2007 Çarşamba. Bu sabah sıfır uyku ile Ayvalık'a doğru yola çıkacağım. Önce Ankara'ya dönüş biletimi aldım, sonra gazeteye (*Hürriyet* İzmir bürosuna) uğradım. Haberi herkes duymuş. Gazeteden bir arkadaş usulca yanıma sokuldu ve bugün İzmir'de *Hürriyet* satışının çok azaldığını, okurların protesto ettiğini fısıldadı.

Aynı gün, 15 Ağustos 2007 Çarşamba, Ayvalık'a geldim. Bir gece önceden uykusuzum, yorgunum. Daha önceden kararlaştırmıştık. Gece **Bekir Coşkun** ve karısı Andree ile buluşup Cunda'da yemek yiyeceğiz. Hemen yattım. Yıllardır ilk kez gündüz uykusu uyuyacağım.

Tam içim geçmiş, kayınvalidenin Azeri yardımcısı Fatma uyardırdı:

"Kalk Emin abi, kapıda bir sürü gazeteci var. Seni bekliyorlar."

"Ne! Gazeteciler mi? Nereden bulmuşlar bu evi?"

"Bilemem abi, kapıda hepsi. Onlara çay yaptım."

Allahım yarabbim, bir bu eksikti. Ben gazeteciyim, muhabirlerin çektiği çileleri en yakından bilirim. Ne yapacağım şimdi?.. Çünkü kendi kendime konuşmama kararı almışım. Gazeteci arkadaşlar ille de bir şeyler soracaklar. Ne yapmalı?

Kalktım, yanlarına gittim. Ajanslar, televizyonlar ve yazılı basın muhabirleri ve kameramanlar kapıda.

Anadolu Ajansı, İhlas Haber Ajansı (İHA), Skytürk, NTV ve ötekiler. Ayvalık'taki evi nasıl bulduklarını bilmiyorum. Çocuklarla biraz lafladık. Bir şey söylemek istemediğimi, beni anlamalarını rica ettim. Gece Bekir'le Cunda'da Bay Nihat Restoran'da buluşacağımızı, oraya gelmelerini söyledim.

Saat 20.00'de buluşacağız. Biz Tansel'le gittiğimizde Bekir ve Andree gelmişlerdi. Çevrelerinde bir gazeteci ordusu. Sahildeki Cunda restoranlarını bilmeyenler için söyleyeyim. Sahil boyunca çok sayıda restoran. Aralarında duvar falan yok. Yani bir uçtan baktığınızda öteki ucu görürsünüz. Restorana girdik...

Ve bütün restoranlarda oturan yüzlerce insan bir anda ayağa kalkıp alkışlamaya başladı. İnanılmaz bir olaydı. İlk kez gözlerim orada doldu. Kendimi tutmasam, bu sevgi seli karşısında hüngür hüngür ağlayacağım. Kameralar çekim yapıyor.

Ertesi gün bu tezahürat bazı gazetelerde ve ekranlarda yayımlandı. Muhteşem bir olaydı. Çekim yapan bir bayan muhabir "Emin Bey gözleriniz doldu" dedi. Başka ne olabilirdi? İnsanlar sevgisini gösteriyordu. Orada gazeteci arkadaşlarla biraz konuştuk. Kovulma olayıma ben hiç girmedim. Onu anlatmanın zamanı bir kitapla gelecekti! Gazeteciler gidince Bekir anlattı. Ertuğrul onu aramış ve "Emin'e söyle, hiç kimseyle konuşmadan birkaç ay beklesin, patronu yumuşatmaya çalışalım" demiş! Beni hiç tanımadıkları bir kez daha belli oluyordu.

Diş macunu tüpten çıkınca onu içeri sokmak artık mümkün olamazdı.

***

16 Ağustos 2007 Perşembe. Bugün Ertuğrul'un *Hürriyet*'te **"Çölaşan'la Veda Yemeği"** başlıklı yazısı çıktı. Özetliyorum:

"Önceki gün Emin Çölaşan'la yemek yedik. Bu defaki sohbetimizin niteliği farklıydı. Hürriyet olarak Çölaşan'la el sıkışacaktık. Benim için zor bir sohbetti. Son yıllarda Çölaşan'la Hürriyet arasında bazı sorunlar çıkmaya başladı. (O sorunları yazmıyor!) *Sonunda iş gazetenin kurumsal kimliği ile çatışma noktasına geldi.* (AKP döneminde oluşan baskıya da değinmiyor!) *Hemen aklınıza gelecektir. Acaba siyasi mesele mi? Hayır, kesinlikle böyle bir şey yok.* (Var demesi mümkün mü?) *Çölaşan 20 yıl boyunca istediği her şeyi yazdı.* (Yalan söylüyor. Üzerimde hep baskı ve sansür vardı.) *Yüklü tazminatlar pahasına bunlara ses çıkarmadık.* (Hakkımda elbette tazminat davaları açıldı. Her gazeteci ve her kurum için açılır. Bugün **Doğan Medya Grubu** hakkında açılmış, tazminata bağlanmış veya reddedilmiş, özellikle İstanbul ve Ankara'da görülmekte olan bin'den fazla dava var. Yöneticiler, yazarlar, muhabirler ve

herkes hakkında. Hem ceza, hem tazminat davaları. Yani bu cümlesinde de olayı saptırmaya kalkışıyor.)

Hürriyet yeni yayın ilkelerini belirledi. Kişi hakları, hakaret, takıntı gibi konularda daha titiz bir yayıncılık sürdüreceğiz. İşte bu noktada Çölaşan'la bazı anlaşmazlıklar çıkmaya başladı. (Olayı kendince saptırıyor, beni farklı bir biçimde tanıtmaya kalkışıyor. Hakaret eden, takıntıları olan biriyim!) *Emin Çölaşan'ın ayrılması dolayısıyla verilen tepkilere baktığımda şunu anlıyorum. Hürriyet bu ülkenin en temel üç-beş kurumundan biri. Necati Doğru'nun, Yılmaz Özdil'in görevlerine son verildi. Benim hatırladığım tek satır yazı yazılmadı. Çıt yok. Tuncay Özkan kovuldu, kimsenin kılı kıpırdamadı. Mehmet Barlas, Cengiz Çandar, Mehmet Ali Birand ve daha birkaç köşe yazarı gazetelerinden çıkarıldı. Hatırlarını soran bile olmadı.* (Necati ve Tuncay dışında hepsini **Doğan Grubu**'na alıp yazarlık ve sunuculuk yaptıran, özellikle dolandırıcılıktan hükümlü Mehmet Ali'yi ihya eden kendisidir.) *Hürriyet'e gelince işin rengi değişiyor. Bir muhabirin bile işine son verilmesi olay oluyor."* (Böylece benim olayımı hafife almaya, gazetenin büyüklüğüne bağlamaya kalkışıyor! Çıkan gürültünün, tiraj düşmesinin benimle değil, *Hürriyet*'le ilgili olduğunu savunmaya çalışıyor.)

***

Aynı gün sevgili arkadaşım, dostum, sırdaşım **Bekir Coşkun**'un *Hürriyet*'te "**Kürek Mahkûmları**" başlıklı muhteşem, enfes yazısı çıktı. Onu da özetliyorum:

"Bu yazıyı zor şartlar altında yazıyorum. Telefonlar durmadan çalıyor, televizyonlar kapıda, haberciler durmadan bizden söz ediyorlar. Benim ise söyleyecek çok sözüm yok.

Sözümü sadece size söyleyebilirim. Olan şu: Biz bir kayıktaydık.

Kürek arkadaşımı dalgalar aldı.

Bizim ulaşmak istediğimiz bir yer vardı. Söylene söylene, sızlana sızlana, adeta kendimizi kürek mahkûmu sayarak kürek çekiyorduk o yere doğru.

Orası sadece bizim aydınlık ülkemizdi... Soygunun, hırsızlığın, talanın olmadığı bir yer. Şeriatçıların, tarikatların, laik Cumhuriyet düşmanlarının karanlığa sürüklemelerini asla kabul edemeyeceğimiz mübarek-kutsal vatan.

Mustafa Kemal'in memleketi.

Ulaşmak istediğimiz yer burasıydı.

Emin Çölaşan artık yok.

Ne yapmalıyım? Bırakmalı mıyım kürekleri?

Ben şimdiye kadar her şeyimi okurlarımla paylaştım... Şimdi soruyorum:

Ne yapmalıyım? Asılsam mı küreklere? Avuçlarım kanasa da, hırsımdan ağlasam da, o yere doğru tek başıma kalsam dahi çekmeli miyim kürekleri?

Yoksa vaz mı geçsem kürek çekmekten? Söyleyin dostlarım, ne yapmalıyım, ne?"

Bekir'in bu muhteşem yazısı başta bizim gazetede çalışan arkadaşlar olmak üzere belki yüz binlerce insanı ağlatmıştı. O gün Bekir bana anlattı. Yazısını İstanbul'a geçtiğinde, yazıyı okuyan Ertuğrul, Bekir'i arayıp yazıdan benim ismimi çıkarmasını istemiş. Bekir kabul etmemiş. Bir satırını değiştirdiği veya çıkardığı takdirde istifa edeceğini söylemiş. Ertuğrul benden sonra bu riski elbette göze alamaz, Bekir'i de kaybedemezdi.

O takdirde gazete önemli bir çöküşe girerdi. Çaresiz kabul etmiş ve yazıyı olduğu gibi bırakmış.

***

Ayvalık sel olmuş, herkes eve geliyor. Telefonları öğrenmişler, herkes arıyor. Siyasetçiler, sanatçılar, arkadaşlar, gazeteciler, yazarlar, okurlar, aklınıza kim gelirse.

Bugün bir saat kaçtım ve ilk ve son kez denize girdim. Plajda yine etrafımı sardılar. Herkes *Hürriyet*'i bıraktığını söylüyor ve protesto ediyor.

Akşam oldu. Tansel'e yine Cunda'ya gidip balık yemeyi önerdim. "Boşver, şimdi yine tezahürat falan olur" dedi. "Ne tezahüratı olacak, dün gece Bekir falan da oradaydı, gazeteciler vardı, o yüzden olmuştur" dedim.

Gece aynı restorana gittik. Yanımızdaki masada bir çift var. Birkaç kelime onlarla lafladık, benim olaydan söz ettik. Birazdan insanlar resim çektirmek için yanıma gelmeye başladı. Bir üç beş on derken kuyruk oluştu. Yerime oturamıyorum.

Ve bir anda, nereden başladığını görmediğim bir yerlerden Cunda'nın bütün restoranlarında oturan insanlar en baştan en sona, ayağa kalkıp alkışlamaya başladı. Sanki birileri bir düğmeye basmıştı. İnanılır gibi değil. Alkışlar durmuyor, dinmek bilmiyor. Ne yapacağımı şaşırdım. Elimle, başımla selam veriyorum, tezahürat giderek artıyor. Dakikalarca sürdü. Dün gecekinin belki beş katı idi.

Yine gözlerim doldu, ağlamamak için kendimi zor tuttum. İtiraf ediyorum, orada doyasıya ağlamayı isterdim.

Ortalık sakinleşince yanımızdaki masada oturan, biraz ahbaplık ettiğimiz çifte döndüm:

"Bakın arkadaşlar, ben bu geceyi de kitabımda yazacağım. Bu manzarayı, bu tezahüratı yazarsam bazıları bana inanmaz. Sizinle burada tanıştık ama isimlerinizi bilmiyorum. Ne olur bir kâğıda isimlerinizi yazıp bana verin ki, hiç değilse sizi tanık göstereyim."

Yazdılar. **Nurşen Aksu** ve **İlhami Şarkan**. Bunu söylediğimi duyan Bay Nihat Restoran'ın garsonları, işletmecileri ve müdürü de bir karta isimlerini yazıp getirdiler... Ve şöyle dediler:

"Emin Bey bu muhteşem olaya iki gecedir hepimiz tanığız. Buraya bugüne kadar nice ünlüler geldi. Devlet adamından sanatçıya, artistten gazeteciye kadar. Böyle bir sevgiyi, böyle bir tezahüratı biz iki gecedir ilk kez yaşıyoruz Cunda'da. Size helal olsun."

Fakat o gece orada yaşananların bir tanığı daha var! **Etyen Mahçupyan**. O da aynı restoranda arkadaşlarıyla birlikte yemek yiyordu.

Yemek bitti, gideceğiz. Restoran hesap almadı. Dışarı çıktık, bu kez yürüyüş yolunda yüzlerce insan resim çektirmek için sıraya girdi. İnsanlarla sarmaş dolaş resim çektirmek en az bir saat sürdü. Bittiğinde Tansel ortalıkta yoktu, aramaya başladım. Meğer ayakta yorulunca oralarda bir kahveye oturmuş.

Ertesi gece Ayvalık'ta son gecemdi. **Hüsamettin Cindoruk**, **Bekir Coşkun**, ben ve eşlerimiz Ortunç'ta akşam yemeği yedik. Hüsamettin Abi Bekir'e "Sakın ayrılma gazeteden, sen kal" dedi.

***

Burada kovulma sonrasında beni de bir ölçüde şaşırtan hem de mutlu eden bir konuya da değinmek istiyorum. Uzun bir süre benim olay medyanın gündeminden düşmedi. Görsel ve yazılı medyada çok sayıda haber, yorum ve köşe yazısı yayımlandı. Buna İslamcılar dahil.

Bir veya ikisi dışında aleyhimde, beni kötüleyecek bir tek şey çıkmadı.

Bütün yazılar **Doğan Grubu** ve **Ertuğrul Özkök** aleyhine idi.

Bir kişi ortaya çıkıp da "**Çölaşan** şöyle bir ahlaksızlık yapmıştı, iş bitirdiği öğrenilmişti, parayla yazı yazmıştı, kalemini satmıştı ve o yüzden kovuldu" gibi şeyler yazamadı. Bu bana yeterdi.

Tamamı bana destek veriyordu. Hepsine burada teşekkür etmeyi bir vicdan borcu biliyorum.

***

19 Ağustos 2007 Pazar. Bugün Ankara'ya döndüm. Şimdi önümde yapılacak çok büyük bir iş daha var. 22 yıllık odamı temizlemek. Üç ayrı bölümden oluşan odanın her

bir santimetrekaresi kitaplar, belgeler, dosyalar ve arşivle dolu. Neyin nerede olduğunu bazen biliyorum, bazen bilemiyorum.

Ancak onları herhangi bir yere olduğu gibi taşımak mümkün değil. Mutlaka önemli bir bölümünü atmak zorunda kalacağım.

Pazar günü akşam saatlerinde ev telefonum çaldı. *Hürriyet*'in eski sahibi **Erol Simavi**'nin bana aldırdığı özel telefon. Gazeteyi henüz satmamıştı, bana bir gün şöyle dedi:

"Bak şekerim, ben seni aradığımda evinde telesekreter çıkıyor. Ben telesekretere konuşamam. Söyle gazetede bizimkilere, sana bir başka telefon alsınlar. O numara sadece bende olsun. Varsan açarsın, yoksan cevap vermez."

Bugüne kadar o telefon numarasını sadece Erol Bey bildi. Yılda bir veya iki kez arardı. Bilirdim ki o numara çaldığında ya yurtdışında yaşayan Erol Bey arıyor ya da birisi yanlış numara çevirmiştir. Pazar akşamı telefon çaldı. Karşımda Erol Bey vardı. Hal hatır sordum. Gazetenin başına elleriyle getirdiği Ertuğrul hakkında burada yazılması mümkün olmayan şeyler söylüyordu. Sonra içini döktü:

"Bak **Çölaşan**, param olsa inan ki şu yaşımda yine Babıâli'ye dönüp gazete çıkaracağım. Param var ama bana yetecek kadar var. Senin olaydan sonra, çok iyi bir promosyon verdikleri halde gazetenin satışı çok düştü. İnşallah ders almışlardır."

"Gazetenin bütün çalışanları sizi arıyor, isminizi özlemle anıyor efendim."

"Sağ olsunlar. Sakın kendini üzme. Sana geçmiş olsun demiyorum. Senin başına şeref tacı koydular. Seni tebrik ediyorum. Sen beni sık sık ara."

"Bende telefon numaranız yok ki."

"Valla ben de ezbere bilmiyorum numaramı. Öğreneyim de ben sana sonra bildiririm."

Birkaç gün sonra İstanbul'da yaşayan kızı Yasemin aradı ve babasının telefonunu verdi.

Aynı gün Ertuğrul'un ve ailesinin en yakın dostlarından biri aradı:

"Aile bireyleri de çok üzgün. Bu olayda Ertuğrul'un rolü olmadığını, her şeyi Aydın Bey'in yaptığını söylüyorlar."

Bilemeyeceğimi, olayların pek öyle göstermediğini söylemekle yetindim.

***

20 Ağustos sonrasında Ankara'dayım. Odamı toplamak, temizlemek gözümü korkutuyor. Henüz kovulduğuma ilişkin yazılı bir tebligat yok. Her gün gazeteye geliyorum, temizlik operasyonuna başlıyorum. Toz toprak içindeyim. Dosyaları, on binlerce belgeyi gece gündüz tek tek okudum. Bunları götürecek yer yok. 30 yıllık gazeteciyim ama yakın olduğum bir holding patronu, müteahhit, iş adamı yok ki "Arkadaş bana büronda iki oda ver, bir sekreter ver, hem malzemeyi orada yığalım, hem de kitabımı orada yazayım" diyeyim!

Kovulma sonrasında da okuyuculardan mesajlar yağıyor. Çoğunda birileri için ağır laflar, hakaretler var. Binlerce... Onları da toplayıp arşivimin son bölümü olarak Ankara Ticaret Odası'na verilmek üzere bıraktım. Okuyucular yönetime ağır sözler ediyor, bana övgüler düzüyor. İçlerinde öyleleri var ki, birkaç cümleye öyle şeyler sığdırmışlar ki, 50 yıl düşünseniz yazamazsınız. Tanımadığım insanlar. İçlerinde devlet memurları, iş adamları olabilir, zarar görebilirler. O yüzden bazılarının isimlerini vermeyeceğim.

"Umarım 150 yaşına kadar yaşarsınız, Atatürk ve Cumhuriyet'i sonsuza kadar savunursunuz. Umarım gençlere bu anlamda hep örnek olursunuz. Umarım memleketimiz daha çook Çölaşan'lar çıkarır. Bugüne kadar savunduğunuz doğrular için sonsuz teşekkürler."

"Yediğin ekmek, içtiğin su, aldığın hava, bastığın toprak... Ananın ak sütü gibi sana helal olsun.

Okurlar olarak hakkımıza gelince. Sonsuza dek helal olsun."

"Sayın Emin Bey, bu ülke yaşanır olmaktan çıktı diyorum. Sonra siz aklıma geliyorsunuz. Yılların mücadelesi. Yaşanır diyorum. Ekmeksiz susuz yaşanır da, vatansız ve Emin Çölaşan'ın yazılarını okumadan yaşanmaz diyorum..."

"Sevgili Çölaşan, senin yazılarınla yaşam kuvveti buluyordum. Bundan sonrasını bilemiyorum."

"Emin Bey, bu milletin sizin gibi cesur ve kendini satmamış kalemlere hep ihtiyacı olacak. Sakın üzülmeyin. Siz helal süt emmişsiniz. Sizi yetiştiren anaya babaya ne mutlu."

"Kadın olsaydım herhalde sana âşık olurdum! Her şeyini beğeniyorum. Tebrikler kardeşim. Seni ancak tebrik ederim!"

Bu kez ismini veriyorum: Tokat'tan **İlhan Gündüzlü**'nün faksları:

"Hürriyet Gazetesi-Ankara. Ben Emin Bey'in okuruyum. O saklanmaz. Faksımı bi zahmet verin. Emin Bey, ben İlhan Gündüzlü. Tokatlıyım. Yazdıklarınızı çoğu kez beğenerek, bazen kızarak daima okudum. Saldırgan görünen Emin'in yüreğinde hiçbir kötülük yok. Patrona kızdın, bizi cezalandırdın. Gazeteni, köşeni, ellere bırakma. Seni beğenmeyen hiç kimse yok. Hemen yazmaya başla. Önce yazdığın gibi başla."

Biraz sonra ikinci faks:

"Sayın Hürriyet Gazetesi-Ankara. Emin Bey'e gönderdiğim faksı verdiniz. Çok teşekkür ederim. Getirmek için arabulucu olun. El gibi uzaktan izlemeyin. Gelmezsen biz de gideriz deyin. Kıramadığı kişilere arabuluculuk yaptırın.

Gönül rızasıyla gelmezse bunu derdest edip ofise getirin. Kapıyı kilitleyin. Sakın izin vermeyin. Herkese teşekkür ederim, müjdeli haber beklerim."

Böyle binlercesi, onbinlercesi, bugüne kadar kaç köşe yazarına, kaç gazeteciye gelmiştir? Bu mesajları, *Hürriyet* okurları ile aramda kurulan gönül bağlarını bazen

Ertuğrul'a göstermek istediğimde, "Şunları ya oku ya da güvendiğin birine okut ki, durumu gör" dediğimde aldığım yanıt hep aynı oluyordu:

"Siktir et yav, bunlar azgın azınlık. Dikkate alınacak bir şey değil."

Kafemiz'de arkadaşlarım Sumru-Ersin Üner, Kasım ve ben oturuyoruz. Az öteden bir genç kız kalktı, masamıza geldi.

"Emin Bey, görevinizden ayrılmanıza çok üzüldük. Şimdi sizi görünce burada içimden bir şey karalamak geldi. Size bir mektup yazdım. Okursanız çok mutlu olurum."

Teşekkür edip mektubu aldım, okudum ve arkadaşlarıma da okuttum:

"Sn. Emin Bey, ben bundan beş yıl evveline kadar klasik kolejli ve Bilkentli şımarık öğrencilerden sayılırdım. Politikayla ve Türkiye'yle beni ilk tanıştıran sizin yazılarınız oldu. Dolayısıyla bizim gibi dünyadan habersiz yaşayan insanları uyandıran siz, bugün tekerine çomak soktuğunuz bozuk düzenin kurbanı oldunuz.

Benim gibi sizinle uyanan biri, bu karşılaştığınız haksızlıktan dolayı marka olmuş ama duruşu bozuk Hürriyet'i kınıyor, nerede olursanız olun gönlümün sizinle olduğunu ve teşekkürlerimi iletmeyi bir borç biliyorum.

Duruşunuza duyduğum saygı sonsuzdur. Sizi karşılıksız ve tüm içtenliğimle seviyor ve sayıyorum. ***H. Emel Boyalı."***

Rahmi Koç'un da korkacak bir şeyi yoktur herhalde. Gönderdiği mektubu özetliyorum:

"Her zaman takip ettiğim yazılarınızı her gittiğim limanda internetten indirir, kimi zaman iki defa okurdum. Hürriyet gazetesi ile yollarınızın ayrıldığını üzülerek öğrendim. Ayrıca Ertuğrul Özkök'ün bu ayrılışı izah eden makalesini de okudum. Doğrusunu isterseniz ileri sürdüğü sebepler beni pek tatmin etmedi. Yazılarınıza hasret kaldık. Hürriyet'in tirajı da düşmüş. Bazı arkadaşlarımız Hürriyet gazetesi okumaktan vazgeçmişler...

Bu kadar okuyucusu olan bir yazarı Türkiye basını saf dışı bırakamaz. Gelişmeleri merakla takip ediyorum..."

İstanbul'dan lise birinci sınıf öğrencisi **Ayşe Gülin Pekmezci** yazıyor:

"Çölaşan amca, başına açtıkları işe çok üzüldüm. Bu da geçer. Kafanın ışığından ve kaleminden milletimize ne verdinse helal et."

Bana yazdıklarını izinlerini almadan burada açıkladığım kişilerden özür diliyorum.

***

Odamı toplamayı sürdürüyorum. Yazarlarından imzalı kitapları her zaman olduğu gibi Başkent Üniversitesi'ne bağışladım. Böylece üniversitenin kitaplıklığında benim adıma açılan bölümde 4 bin dolayında yazarından imzalı kitap oldu. Böyle bir koleksiyon değil Türkiye'de, bildiğim kadarıyla dünyada da bir ilk.

Yaklaşık bin kitabı dostum ve sevgili kardeşim **Salim Taşçı**'nın ricası üzerine onun memleketine, Yozgat'ın Sorgun ilçesi lise kitaplığına bağışladım.

Elimde, sadece benim yazdığım kitaplardan oluşan yaklaşık sekiz yüz kitap daha vardı. Onları da Adalet Bakanlığı Ceza ve Tevkif Evleri Genel Müdürlüğü ile konuşarak cezaevleri kitaplıklarına dağıtılmak üzere verdim.

Dosyalardan bir bölümünü attım. Bir bölümünü **Salim Taşçı**'nın bürosuna taşıdık. Sanki çalışıyormuş gibi her gün gazeteye gidip oda temizliyorum. Öğle yemeğini orada yiyorum. Torbalar, çuvallar dolusu malzemeyi taşıyorum, taşıtıyorum. Sadece yazı yazmıyorum!

21 Ağustos günü Bekir, Ayvalık'tan aradı:

"Haberin olsun, Ertuğrul beni her gün arayıp yokluyor. Belli ki kendi mesajlarını sana benim aracılığımla gönderiyor. Bu sabah da aradı. Dün gece Vuslat'la (**Aydın Doğan**'ın kızı, *Hürriyet*'in başındaki **Vuslat Doğan Sabancı**) saat 02.00'ye kadar toplantı yapmışlar, senin olayına formül aramışlar."

Bu sırada Allah Ertuğrul'un karşısına muhteşem bir fırsat çıkardı ve akıllı Ertuğrul onu çok iyi, kendi açısından dört dörtlük kullandı. Tayyip, **Uğur Dündar**'la yaptığı bir televizyon programında, **Abdullah Gül** için *"O benim cumhurbaşkanım olmayacak"* diye yazan Bekir'e bindirdi. Ertuğrul bu olaydan yararlanmayı gerçekten akıllıca bildi. Konuyu günlerce gündemde tuttu, manşetten verdi.

Böylece benim olayı önemli ölçüde unutturdu. Fakat pek çok gazeteci bunu yutmadı ve Ertuğrul'un taktiği ile alay etti!

Aynı gece CHP Manisa milletvekili, arkadaşım ve gazetemizin avukatı **Şahin Mengü** ile Trilye'de yemek yiyoruz. Yanımıza, bizim patronun sağ kolu, benim Ankara Koleji'nden sınıf arkadaşım iş adamı **Taylan Bilgel** geldi. Ne bizim olaydan bir tek cümle, ne geçmiş olsun, üzüldüm falan filan, arkadaşın ağzından bir tek sözcük çıkmadı! "Ne haber" demekle yetindi!

Birkaç gün sonra patronun en yakınlarından biri aradı. **Doğan Grubu**'nda çok üst düzey bir görevi vardı. İsmini vermiyorum. Sözleri ilginçti:

"Sakın üzülmeyin. Aydın Bey yıllar içinde çok değişti. Geçmişin Atatürkçü, milliyetçi, mert insanı artık çok büyüdüğü için sadece paraya ve çıkarlarına odaklandı. Ertuğrul ise onun en yakınıdır. Bir dediğini iki etmeyen adamıdır."

***

22 Ağustos 2007 Çarşamba. Bugün çok ilginç bir olay yaşadım. Evden çıktım, yürüyerek gazeteye gidiyorum. Kafam dalgın. Protokol yolu polisler tarafından kesilmiş. Seymenler parkından doğruca karşıya geçtim, Farabi'den Cinnah'a doğru gidiyorum. Polisler Farabi'de de önlem almışlar. Belli ki birinin konvoyu geçecek.

Sağ kaldırımdan Cinnah caddesine yürüyorum. Birdenbire arkamda homurtular duydum. Refleks olarak sol arkama baktım. Önde ve arkada koruma araçlarıyla bir konvoy geliyor. Konvoy beni geçti, dört-beş metre ilerimde ve yolun ortasında birdenbire durdu.

Şaşırmıştım. Siyah Mercedes'in sağ ön kapısı açıldı ve yaver indi. Anladım ki cumhurbaşkanıdır.

Yaver selam durdu, sağ arka kapıyı açtı ve **Ahmet Necdet Sezer** aracından dışarı çıktı. O sırada tek gördüğüm, uzun namlulu silahlarıyla çok sayıda koruma, araçlarından fırlayıp yolun ortasında önlem aldılar.

Ayağımda kot pantolon, yaka bağır açık durumdayım. **Sezer**'le birbirimize doğru yürüdük.

"Emin Bey, önce size geçmiş olsun diyorum. Hepimiz çok üzüldük başınıza gelene. Semra da çok üzüldü. Nedir bu işin içyüzü?"

"Valla efendim, günün birinde beni tasfiye edecekleri kesindi. Şimdi AKP ikinci defa iktidar olunca daha fazla bekleyemediler. Zaten sinir harbi yaşıyorduk." (Burada yine gözlerim doldu. Ben de duygusal olmuştum.)

"Ben sizi evinizden aramıştım ama Ankara'da yokmuşsunuz. Karşıma telesekreter çıkınca not bırakmadım. Tansel Hanım'ı aradım, onunla konuştum."

"Biliyorum efendim, Ayvalık'ta iken Tansel söyledi aradığınızı. Çok teşekkür ediyorum."

"Peki bundan sonra ne yapacaksınız?"

"Henüz bilmiyorum efendim. Ama önce, şu yaşadıklarımı bir kitap yapacağım."

Cumhurbaşkanı veda gezilerine başlamıştı. O yoldan Barolar Birliği'ne gidiyormuş. Vedalaştık, konvoy yeniden hareket etti.

Gazeteye gidince bu olayı bizim arkadaşlara anlattım. Onlar haber yaptı. Ayrıca arkadaşlar öteki yayın kuruluşlarına da duyurmuşlar. Aynı günün akşamı *Anadolu Ajansı* ve *ANKA* bütün basına bizim olayın fotoğraf servisini yapmış. Meğer konvoyda bulunan Cumhurbaşkanlığı foto muhabiri orada bizim resimlerimizi çekiyormuş. Farkına varmamıştım.

O gün ve gece, bizim haber fotoğrafıyla birlikte **Doğan Grubu** televizyonları hariç bütün ekranlarda haber oldu. Bazı kanallar haber özetlerinde bile yer verdi.

Ertesi gün yine **Doğan Grubu** hariç, neredeyse bütün gazetelerde birinci sayfadan, fotoğrafla birlikte yayımlandı. *Cumhuriyet, Sabah, Yeni Şafak...* Bu konuda köşe yazıları yazıldı.

Aynı gün *Tercüman* gazetesi büyük boy posterimi verdi. Üzerindeki yazı:

"Hepimiz Çölaşan'ız."

***

Okurlarımdan **Demet Erel**, *Hürriyet* Gazetesi İcra Kurulu Başkanı **Vuslat Doğan Sabancı**'ya bir e-posta mesajı atıp benim neden kovulduğumu sormuş. (Bu belgeleri Demet Hanım bana iletti.) **Vuslat Doğan Sabancı**'nın yazılı yanıtını özetliyorum:

"Sayın Emin Çölaşan'ın gazetemizden ayrılması ile ilgili tepkinizi saygıyla karşılıyorum. Sayın Çölaşan 22 yıldır Hürriyet'te yazıyordu. Hürriyet'in güçlü kalemlerinden biriydi.

Bu süre içerisinde o Hürriyet'e renk katmış, Hürriyet de en zor ve baskıcı dönemlerde ona sahip çıkmıştır. İlişkimizin böyle bir noktaya gelmesi elbette bizim açımızdan da üzücüdür. Ancak şu konuda sizi temin etmek isterim. Sayın Çölaşan'ın ayrılmasında hiçbir siyasi etki ve baskı rol oynamamıştır.

Hürriyet'te muhalif kimliğe sahip çok sayıda yazar yazmaktadır ve onlarla hiçbir sorun yaşanmamıştır.

Görüş ayrılığımız daha çok kurumsal ilkelere uyulup uyulmaması ile ilgilidir..."

Demet Erel kendisine gelen bu yanıttan tatmin olmamış ve bir mesaj daha geçmiş:

"Değerli Vuslat Hanım, şahsıma gönderdiğiniz mesaj beni hiç tatmin etmedi. Bu 'kurumsal kimlik' meselesini biraz açsanız! Gerek siz ve gerekse Ertuğrul Özkök buna ikide bir vurgu yapıyorsunuz ama bunun ne olduğunu anlayan yok!

Çölaşan hırsızlık mı yaptı? Para karşılığı yazı mı yazdı, sahtekârlık mı yaptı, iş takipçiliği mi yaptı, yalan mı yazdı ki 'kurumsal kimliğinize' zarar verdi?

Yayın Yönetmeniniz Bay Özkök 'Beş yıl önce alınan ve hayata geçirilen kurumsal kimliğe uymadığından' diye yazdı.

Peki beş yıl sonra neden şimdi?

Bunun adını hükümetle yapılan 'iş anlaşmaları' gereği olarak koyalım, daha dürüstçe olsun.

Gazetelerin patronları iş adamlığına soyunursa, eee, Emin Çölaşan gibi doğru kalemler ayrıkotu gibi gözükür orada haliyle!

Bana cevabınızda 'muhalif yazarlar var' demeye getirmişsiniz. On muhalif yazar olsa kaç yazar, Çölaşan olmadıktan sonra? Sonuçta iktidarın şaibeli işlerini ortaya döken, yolsuzluklarını belgeleyen kaç yazarınız var?

Vuslat Hanım, tekrar etmekte fayda var. Bu cevabınız açıkça beni hiç tatmin etmedi. Bu saydığınız sözde gerekçelere kargalar bile güler.

'Kurumsal kimliğinizi' anlayamadık. Ama anladığımız tek bir şey var. Bir onurlu kalem, sadece düşüncelerinden dolayı susturulmuştur. Bundan sonra kim inanır sizlerin o sözde 'ifade özgürlüğü' çığlıklarınıza, kim inanır sözde 'demokratik' duruşlarınıza!..

Çünkü gerçek tüm çıplaklığı ile ortada. Saygılarımla."

Vuslat Hanım bu ikinci mesaja yanıt vermemiş. Buna karşın Demet Hanım bir mesaj daha çekmiş:

"Cumhuriyet mitinglerinde insanlar 'Tayyip alana Aydın Doğan bedava' diye slogan atarken meğer ne kadar haklıymış. Hürriyet'i Hürriyet yapan bu onurlu kaleme yapılanı kınıyor, tam 20 yıldır okuduğum gazetenizi protesto ediyor, bütün bağlarımı koparıyorum."

Odam hep dolu. Gelen giden, telefonlar... Temizleme işlemiyle uğraşıyorum ve yavaş yavaş bitiriyorum. Arayan, gelen bütün gazeteciler "birileri" için ağır konuşuyor. Çünkü benzer olayları onlar da yaşıyor.

Henüz resmi tebligat yapılmadı. İstanbul'dan kulağıma, doğrudan bana gönderilen mesajlar geliyor:

"Emin beklesin, hiç konuşmasın, sabırlı olsun. Patronu ikna etmeye, yumuşatmaya çalışıyoruz. Beş-altı ay beklesin, yine *Hürriyet*'te başlatırız!"

Gülünç!

Doğan Hızlan *Hürriyet*'te aynı doğrultuda bir yazı yazdı ve bundan önce gazetecilikte bazıları gibi, benim de bir gün "yuvaya" yani *Hürriyet*'e döneceğimi söyledi. Benden övgüyle söz ediyordu, açıp teşekkür ettim. Doğan Abi o yazıyı patron katından habersiz yazmış olamazdı.

Bu yazı sonrasında okuyucum **Ahmet Karahan**'dan gelen bir mesaj:

"Sayın Çölaşan, birtakım haberler okuyorum. Emin Çölaşan Hürriyet'e geri dönsün diye Doğan Hızlan devreye girmişmiş vs.

Sakın, sakın, sakın!

Bu, duygularla değil, akılla söylenmiş bir sözdür.

Dönersen kendi idam sehpanda ipini kendin çektin demektir. Dönersen hiçbir zaman eskisi gibi yazamazsın. Yazdırmazlar.

Dönersen biat ettin (boyun eğdin, onların emrine girdin) *sayılır.*

Ölsen de dönme Emin Çölaşan."

Hangisini yazayım, nasıl yazayım, bu gönül bağını nasıl anlatayım? Filistin caddesinde çok eski arkadaşım Yavuz'la rastlaştık, konuşuyoruz. Karşıdan bir hanım geliyor. Yanımıza sokuldu ve doğrudan göğsümü öptü.

"Aslanların aslanı, seni tebrik ediyorum."

"Çok teşekkür ederim ama niye göğsümü öptünüz?"

"Ben senin göğsünü öpmedim. Göğsüne seni kovanların taktığı o şeref madalyasını öptüm. Bak, sen görmüyorsun ama orada senin şeref madalyan duruyor. Her kula nasip olmaz."

Vay canına... Muhteşem. Yaşadığım binlerce güzellikten biri daha.

***

Toz toprak içinde oda toplamayı sürdürüyorum. Telefonlar durmuyor. Gelen giden de öyle. Gece geç saatlere kadar 22 yılın birikimi olan arşivimi temizliyorum, binlerce belgeyi yeniden okuyorum. Akşam yorgun, kafam neredeyse durmuş bir biçimde eve gidiyorum...Ve düşünüyorum.

Ertuğrul gazetede bir yazı yazdı. Başlığı: "**Ben Sonradan Görmeyim**". Özetliyorum:

"Ben bir sonradan görmeyim. Ne gördüysem 45 yaşımdan sonra gördüm. Çocukluğum, gençliğim hep mütevazı imkânlarla geçti. İyi bir arabaya 50 yaşımdan sonra bindim. Çok iyi bir şarabı hayatımda ilk defa 40 yaşlarımdan sonra içtim. Havyarın iyisini derseniz, son 20 yılda yedim. Çok güzel bir eve taşındığımda 40'lı yaşlarımın sonlarındaydım.

Evet, ben bir sonradan görmeyim. O yüzden, sonradan gördüğüm, sonradan tattığım, sonradan yaşadığım her şeyin kıymetini çok iyi bilirim.

Sonradan görmelik, kişiliğimin en mutena yanıdır. Onu asla bir hakaret olarak kabul etmem."

Bu anlattığı olanakların tamamına *Hürriyet* gazetesinde sahip olmuştu. Allah daha çoğunu da versin. İşte, benimle olan kavgalarında, yaptığımız sohbetlerde bana yaptığı önerilerin özeti buydu:

Sahip olduğun olanakların değerini bil. Biraz başını eğmeyi öğren, kişiliğinden ödün ver. Patron ve ben ne istiyorsak onu yap. İktidarın üzerine gidip bizi zora sokma. Sen ödün ver, kişiliğini biraz törpület, biz sana daha fazlasını verelim. Hem sen rahat et, hem de biz edelim!

Fakat her kuşun eti yenmezdi. İşte burada yanılıyordu... Çünkü ben sonradan görme değildim. Bir memur ailesinin mütevazı olanaklarıyla büyümüştüm ama para hırsım, önceden veya sonradan görmelik kompleksim yoktu. Havyarlı sofralar, son model arabalar, ithal şaraplar, köşkler, yalılar, lüks, şatafat, bana hitap etmiyordu.

Ama onlar, işlerine yarayacak herkesi bu yolla ikna etmeye çalışıyordu.

Bizim istediğimiz gibi ol, iyi para kazan!

Bu mesajı bana özellikle AKP döneminde defalarca vermiş, beni "uslu çocuk" olmaya çağırmıştı.

***

İstanbul'dan haber geldi. İnsan Kaynakları Müdürümüz **Sancak Basa** İstanbul'dan gelecek ve bana yazılı tebligatı bizzat yapacakmış. 31 Ağustos Cuma günü için randevu aldılar. Cuma günü gazeteye geldim. Biraz sonra Sancak geldi.

Tebligatı aynen veriyorum:

"31.8.2007.

Sayın Mustafa Emin Çölaşan.

Hürriyet Gazetesinde uzun yıllardan beri sürdürdüğünüz köşe yazarlığı görevine 31.8.2007 tarihi itibariyle son verildiğini üzüntü ile bildiriyoruz.

Bu süre içerisinde ilişkilerimiz karşılıklı saygı ve iş anlayışı ile sürdürülmüştür.

İş akdinizin feshedilmesini, her kurumda rastlanan kurumsal bir anlaşmazlık çerçevesinde değerlendireceğinizi umut ediyoruz. Görev yaptığınız yıllar boyunca gerek gazeteci, gerek çalışan olarak Hürriyet'e yaptığınız katkılardan dolayı size teşekkür ederiz.

Kariyerinizin bundan sonraki bölümünü de Türk toplumunun yakından tanıdığı ve takdir ettiği başarılı bir gazeteci olarak sürdüreceğinize olan inancımız tamdır. Gazetecilik başarınızın devamının bizleri de mutlu edeceğine olan duygumuzdan emin olmanızı dileriz.

Bu duygularla size ve ailenize bundan sonraki hayatınızda başarılar ve mutluluk diliyoruz."

Altındaki imzalar, **Sancak Basa** ile muhasebeden sorumlu grup başkanı **Ahmet Toksoy**'a aitti. Mektubun fotokopisini çıkarıp bütün arkadaşlara dağıttım. Aynı mektubu internet sitelerinden istediler, verdim ve yayımladılar. Herkes aynı şeyi söylüyordu:

"*Hürriyet* aslında seni terfi ettirecekmiş, yanlışlıkla kovulmuşsun!"

***

Bugün gazetedeki arkadaşlarımla vedalaştım. Kıdem tazminatımı almıştım. İhtiyacı olan bazı çalışanların ödemekle bitiremediği kredi borçlarını sıfırlayıp onları rahata kavuşturdum.

Bana şu veya bu biçimde hizmeti geçmiş olan ve olmayan (gazetede çalışan) tüm ihtiyaç sahiplerine –çam sakızı çoban armağanı– parasal katkıda bulundum. Her birine veya bazılarına topluca mektuplar yazıp haklarını helal etmelerini istedim. Temizlikçiler, idarede çalışanlar, korumalar, müracaat ve santral görevlileri...

Her biriyle sarılıp öpüştük. Birlikte resimler çektirdik.

Muhabir arkadaşlara küçük anılar verdim. İçki, biblo... Odama gelen genç muhabirlere bu mesleğin nasıl yozlaştığını, nasıl patronların çıkar ilişkisine dönüştüğünü dilimin döndüğü kadar bir kez daha anlattım. Zaten hep anlatırdım.

Özellikle AKP döneminde iş o duruma gelmişti ki, artık midem bulanıyordu. Olanları içim kaldırmıyordu. Sadece ben değil, her kurumda çalışan bütün gazeteci arkadaşların düşüncesi aynıydı... Çünkü hepsi olayları bire bir yaşıyor ve gazetecilik mesleğinde yaşanan tüm rezalete tanık oluyordu.

Hep sarıldık, öpüştük. Yanımda ağlayanlar yüzünden ben de gözyaşlarımı tutamıyordum. Vedalaştık.

Odama bir kez daha çıkıp baktım. Dolu raflar, dolaplar, hatta yerler bile boşalmıştı. Koltuğuma son kez oturup her ayrıntıyı fotoğraf gibi ve son kez beynime kazımaya çalıştım. Bu odada neler yaşamıştım. Kimler gelmiş, kimler geçmişti.

22 yıl koşturmuştum. Her gün gelen yüzlerce okuyucu mesajı, yığınla akan fakslar, dosyalar, telefonlar, gelen giden, konuklar...

Patron bana küs...

Ertuğrul'la kavgalar... Makaslanan yazılarım...

Muhabir arkadaşların "hükümetin hoşuna gitmez, kızdırır" diye gazetede yer verilmeyen, çöpe atılan binlerce dört dörtlük haberi.

Korkaklık, yüreksizlik, çıkar hesapları, AKP hükümetinin baskıları, tek parti iktidarından korkanlar, milyarlarca dolarlık iş ve ihale beklentileri, iktidara yağcılık ve yalakalık yapanlar... Çalışanlara yapılan baskılar... Kovulan yüzlerce arkadaşımız... Bir yanda yüzlerce trilyonluk kazançlar, öbür yanda çalışanları sömürme mekanizması... Maaş verilmeden, sadece öğle yemeğine çalıştırılan sigortasız genç muhabirler... "İşine gelmiyorsa çalışma kardeşim, kapıda binlerce insan buraya girmek için sırada bekliyor" edebiyatı...

Ve bu ortamda her gün yazı yazmak ve en iyisini yazmak... Hata olmasın diye her yazımı İstanbul'a geçmeden önce en az 5-6 kez okurdum.

***

Henüz AKP dönemi değildi. Patronumuz **Aydın Doğan** bundan birkaç yıl önce beni ve **Uğur Dündar**'ı Bodrum'a çağırmıştı. Orada Milta tatil köyünde güzel bir villası olduğuna daha önce değinmiştim. "Karılarınızı da alıp gelin, burada birkaç gün tatil de yaparsınız" demişti. Gittik.

İlk gece birlikte yemek yedik. Başka konuklar da vardı. Yemekten sonra Aydın Bey, **Uğur Dündar**'la beni içeriye çağırdı. Üçümüz konuşuyoruz. Birdenbire çok ilginç bir şey anlattı:

"Bakın beyler, bunu şimdi ilk defa size söylüyorum. Ben **Tansu Çiller**'in başbakanlığı döneminde sizin ikinizin yüzünden tam 500 milyon dolar zarar ettim. Bunu biliyor musunuz?"

"Bilmiyoruz Aydın Bey, nedir bu olay?"

"Ben gazetelerimde bir otomobil kampanyası başlatacaktım. Korkunç kazançlı bir işti. Sanayi Bakanlığından kampanya için izin almak gerekiyordu. **Tansu** ve **Özer Çiller** adına birileri bana geldiler ve 'Gazetede **Emin Çölaşan**'ı, televizyonda **Uğur Dündar**'ı kontrol altına alırsanız size bu izni veririz' dediler. Ben buna yanaşmadım."

Uğur'la birlikte hayretler içinde kalmıştık. Bunu ilk kez duyuyorduk. Demek ki patron bizim yüzümüzden 500 milyon dolar kaybetmeyi göze almış, ancak bizi satmamıştı!

Aydın Bey daha sonra bu olayı *Cumhuriyet* gazetesinde, Ağustos 2002'de **Leyla Tavşanoğlu** ile yaptığı bir söyleşide de aynen şöyle anlatmıştı:

"Tabiri caizse yayıncılık biraz yiğitlik, yürek işidir. İki gazeteciyi, isim vererek söylüyorum, **Uğur Dündar** ve **Emin Çölaşan**'ı Türkiye'de taşıyacak gazete sahibini zor bulursunuz.

Bunlar bana öyle pahalıya mal olmuşlardır ki...

Ama ben hiç bakmadım bile. 'Bunları işten çıkarın!' demediler. 'Bunları kontrol altına alın' dediler. 'Bana bunu kesinlikle yaptıramazsınız' dedim.

İşlerimi mahvetmek için tebliğler çıkardılar. Yani şunu anlatmaya çalışıyorum. Eğer yayıncı (yani patron) her gelen baskıya karşı gazetecisini işten çıkarır ya da baskı altında tutmayı kabul ederse, bu yayıncılık olmaz.

Ben bir kampanyada bir milyar dolara varan para toplayacaktım. Uğur ve Emin için bu parayı feda ettim."

Bu olayı *Şu Benim Gazetecilik-Yaşadıklarım* isimli kitabımda yazmış ve şöyle demiştim:

"Gazetecinin kontrol altına alınması ne demektir? Yazılarına müdahale edilmesidir.

Onu yaz, bunu yazma, iktidarı fazla eleştirme direktifleridir.

Baskı çoğu zaman vardır. Her iktidar yağcı ve yalaka basın ister. Hiçbiri eleştiriden hoşlanmaz.

Medya yöneticileri ve gazeteciler bu baskıya bazen direnir, bazen direnemez."

Ve yazdıklarımı şu cümle ile noktalamıştım:

"Direnen onuruyla yaşar, direnemeyen onurundan yitirir."

Aydın Bey söyleşide o sözleri söylerken tarih Ağustos 2002 idi. Yani AKP henüz iktidar olmamış, tek parti dönemi başlamamıştı! Böyle konuşmak o zaman kolaydı!

AKP döneminde her şey değişti. Takke düştü, kel göründü. Tek parti iktidarının ağzından çıkan ya da ima yoluyla söylenen her şey emirdi. Devlet, iktidar ve bütün güç ellerine geçmişti. İstediklerini batırma, istediklerini ihya etme gücü onlardaydı ve herkes korkuyordu.

Aydın Doğan'ın AKP öncesinde söylediği "basında yiğitlik, yürek işi" gibi kavramlar tersyüz olmuştu. Öteki patronların çoğu gibi Aydın Bey de artık korkuyordu.

Medyanın büyük bölümü, Aydın Bey ve **Doğan Grubu** başta, ne yazık ki teslim bayrağını çekmişti.

Ben direndim, onurumdan yitirmedim. Kimlerin direnemeyip onurundan yitirdiğine kamuoyu kararı verir!

***

Evet, son kez odamdaydım ve hep bunları düşünüyordum.

Ayrılık zamanı geldi. Son kalan ufak tefek şeyleri de –bazı kitaplar, dosyalar, takvim, gazetecilikte ilk günümden beri kullandığım ve benim demirbaşım (!) olan sigara tablam, telefon defteri vs.– siyah çöp torbasına doldurdum. Ama odamdan bir türlü çıkmak istemiyorum. İçeriden kilitledim, belki yarım saat tek başıma oturdum.

Sonra odamdaki her şeye, sanki onlar canlı imiş gibi konuşarak veda ettim. Duvarlar, koltuklar, masam, dolaplar... Yanımda birileri olsa, herhalde aklımı kaçırdığımı düşünürdü!

Masamı öptüm.

Bu odada nice acı, tatlı, sıkıntılı olaylar yaşamıştım. Ne arkadaşlıklara ve dostluklara tanık olmuştum. Epeyce iyi gazetecilik yapmıştım ama ne çare ki vakvakları ürkütmüştüm. Vakvaklar elbette benden çok daha güçlüydü. Maçın sonucu AKP iktidarı döneminde zaten belli olmuştu. Ya beni istifaya zorlayıp mevziyi düşürecekler ya da kovacaklardı.

Birinci seçenek gerçekleşmedi, ikincisi oldu!

***

Şimdi biraz geçmişe döneyim! Günlerden 6 Şubat 1977. Yarın, 7 Şubat günü *Milliyet* gazetesinde yeni bir mesleğe başlayacağım. Daha önce iki kez, Devlet Planlama Teşkilatı ve Petkim'den kovulmuşum. Siyaset beni oralarda vurmuş. Sıfırdan başlayacağım bu yeni meslekte ben ne yapacağım? Başarılı olacak mıyım? Korkudan bacaklarım titriyor.

6 Şubat 1977 günü Ankara'da Hacıbayram Veli Hazretleri'nin türbesine gidip dua ettim. Bunu *Önce İnsanım Sonra Gazeteci* isimli kitabımda da anlatmıştım.

"Allahım beni bu gazetecilikte başarılı kıl. Beni küçük düşürme."

Çok içten bir dua idi.

Şimdi aradan tam 30.5 yıl geçmişti. Uzun bir süreydi...

Ve mesleğimde zirveye çıkmıştım. **Sancak Basa**'nın bana tebligat yapmaya geleceği 31 Ağustos 2007 cuma günü, bu kez *Hürriyet*'teki gazeteciliğim resmen, yazılı tebligatla ve yeni bir kovulma ile noktalanmıştı.

O sabah kafamda bir fikir çaktı. Düşündüm:

"Oğlum Emin, tebligatı aldıktan sonra yine git Hacıbayram türbesine ve bu kez her şey için, bu meslekte sana verdiği bütün başarılar için Allah'a şükret, dua et."

Oraya bu 30.5 yıl süre içerisinde sadece birkaç kez, Hacıbayram Camii'nden kaldırılan cenazelerde gitmiştim.

Yazılı tebligatı aldım. Sancak'la vedalaştık ve gitti. Odama ve arkadaşlarıma veda ettim. Gazetenin arabasına binip şoför Bülent'le birlikte Hacıbayram yoluna koyulduk. İçimde muhteşem duygular var. Dedim ya, insan böyle durumlarda çok daha duygusal oluyor. Türbeye vardık. Bülent park yerinde beni bekliyor.

Orada bütün gazetecilik yaşantımın teşekkür duasını edecektim.

Evet, 6 Şubat 1977 günü bu işe başlarken aynı yerde dua etmiştim. Ertesi gün *Milliyet*'te yeni bir mesleğe adım atacaktım ve Allah'tan başarı dilemiştim. O günden bu yana Allah bana maddi ve manevi, dilediğimden çok daha fazlasını vermişti. Şimdi sıra, kovulduktan sonra Allah'a teşekkür borcumu ifa etmeye gelmişti. Ettiğim dua içimden dökülüyordu. Hem de uzun yılların hesabını bir kez daha manevi ortamda veriyordum:

"Büyük Allahım, sana her şey için binlerce şükürler olsun Yarabbim. Allahım, şu geride bıraktığım 30.5 yıllık gazetecilik mesleğim bugün için noktalandı. Ne mutlu bana ki bu mesleği şanla, şerefle, açık alınla, lekesiz sürdürdüm. Üzerimde bir tek leke, bir tek şaibe olmadan, zirveye çıkarak bugüne vardım."

Bunları söylerken gözlerim doluyordu. Şimdi yazarken de öyle.

"Büyük Allahım, bu meslekte namussuzluk yapmadım, üçkâğıt yapmadım, kalemimi satmadım, vatanın milletin ve Atatürk'ün yolundan hiç ayrılmadım. Hep iktidar-

larla, egemenlerle boğuştum. Haksıza karşı çıktım, haklıyı savundum, garibanları korudum. Bu acımasız kurtlar sofrasında başımı eğmedim, başım eğik gezmedim, eğilip bükülmedim, dönek olmadım, ahlaksızlık, namussuzluk, yalakalık yapmadım, çıkar hesaplarına girmedim, kimsenin adamı olmadım, ruhumu, kalemimi ve onurumu satmadım. Sıfırdan başlayıp alnımın teri, gözümün nuru ile, tırnaklarımla kaza kaza, beynimin gücüyle ve senin yardımınla zirveye geldim. Kursağıma bir kuruş haram, yasa dışı, ahlak dışı para girmedi, bir gün olsun iş takibi yapmadım, gücümü kötüye kullanmadım. Sana her şey için binlerce şükürler olsun Yarabbim. Yapılan bütün baskılara direnme gücünü bana verdin. Allahım bundan sonra da bana sağlık, mutluluk, huzur, zihin açıklığı, güç kuvvet ver Yarabbim. Beni kimseye muhtaç etme, bundan sonra da kimseye mahcup etme, küçük düşürme, verdiğin nimetleri bize aratma büyük Allahım. Sana her şey için binlerce şükürler olsun Yarabbim. Amin."

Bugün 31 Ağustos 2007 Cuma. Hesabımı bir kez daha Allah'ın huzurunda verdim, hem de bu uzun meslek yılları için teşekkür borcumu yerine getirdim.

Ohh, içim rahatlamıştı. Evime döndüm.

Şimdi sıra, bu süreçte AKP döneminde *Hürriyet*'te yaşadıklarımı ve bana yaşattıklarını anlatan bu kitabı yazmaya gelmişti!

VE SON SÖZ

Sevgili okuyucum, bir kitabın daha sonuna geldik. Yazdıklarıma belki inanmayan olabilir. Ancak kesinlikle biliniz ki, hepsi doğrudur. Ben bunları yaşadım... Ve yaşadıklarımın tamamını size yansıtamadım. Aksi takdirde ciltler dolusu yazmam gerekirdi.

Şimdi bana belki de soracaksınız ve sormakta haklısınız:

"Sen bu kitabı yazmaya ne zaman ve nasıl karar verdin?"

AKP iktidar olunca ilk kez başıma gelenler, baskı ortamı ve yaşamaya başladığım olaylar, "bir şeyler olacağını" bana göstermişti. Önce ıkınmalar sıkınmalar ufak ufak başladı. Sonra işin dozu giderek artış gösterdikçe yaşadıklarımı belgelemeye ve düzenli notlar almaya başladım.

Bu kitabı bir gün yazmak zorunda kalacağımı hissediyordum ve herkese de söylüyordum. Ama ne zaman?

Hürriyet'te iken bunları yazmam elbette mümkün değildi. Ama bir gün şu veya bu biçimde ayrıldığımda yazacaktım. Günün birinde ben bu işi şu veya bu biçimde bırakmak zorunda kalacaktım... Hele ikinci bir AKP dönemi geldiği takdirde, tünelin ucu benim açımdan hiç görünmüyordu.

Yorulmuştum, hevesimi yitirmiştim... Ama ben orada kendi adıma değil, mevziyi korumak için duruyordum. Orası elbette benim değildi. O köşeden yükselen ses bana değil, benim gibi düşünen yüzbinlerce *Hürriyet* okuruna aitti...

Ve son vuruşu *Hürriyet* yönetimi yaptı!

***

Bu kitapta size anlattıklarım, aslında AKP döneminde gazetecilerin çoğunun yaşadığı baskılarla benzerdir. Bu baskıları hemen her gazeteci yaşadı ve bundan sonra da yaşayacak. Medya patronlari büyük işlere girişmişti. Özelleştirme ve enerji ihaleleri, arazi kapatmalar, yeni gazete ve televizyon satın almalar, akaryakıt işleri, bankacılık, sigortacılık, hava limanı kiralamalar, devlete olan borçlar, vergi cezalarıyla üzerlerine gelinmesi, aklınıza ne gelirse!

Sadece medya patronları değil, neredeyse irili ufaklı bütün patronlar korkuyordu. İktidar, onları bir günde batırabilirdi. Ama medyacıların konumu farklıydı. Onlar hep göz önündeydi ve baskılara bire bir muhatap oluyordu.

Evet, çoğu korkuyordu çünkü milyarlarca dolarlık çıkarları ve beklentileri, yani gelecekleri ve kaderleri, tamamen Tayyip ve ekibinin iki dudağının arasındaydı. İş bu aşamaya gelmişti. İktidarın hoşuna gitmeyen gazeteciler sürekli olarak patronlara ve gazete yöneticilerine şikâyet ediliyordu. Hatta çoğu zaman şikâyete bile gerek kalmıyordu. Patronlar, iktidarın bir göz kırpmasından bile, ne demek istediğini anlayıp gereğini yapıyorlardı.

Gereğini yapmak, ille kovmak değildi. "Seni şikâyet ediyorlar" denmesi, arkadaşımız hakkında birkaç dava açılması yeterliydi. Mesaj alınıyordu.

Ben bu dönemde baskı yaşayan ve kovulan ne ilk gazeteciyim, ne de son gazeteci olacağım. Nice arkadaşlarımız kovuldu ve bundan sonra da kovulacak. Ama o isimsiz kahramanların, ayın sonunu getiremeyen fedakâr arkadaşlarımızın sesi soluğu çıkamazdı ve bundan sonra da çıkmayacak.

Benim bir avantajım vardı: Marka olmuştum. O yüzden gürültü koptu.

Bizler hepimiz, bu dönemi yaşayan bütün gazeteciler, aslında tarihe tanıklık ettik. Baskılar yaşadık, midemiz bulandı ve gün geldi, aşkla bağlı olduğumuz mesleğimizden soğuduk. Hatta tiksindik. Yapılanları, tekelleşmeyi, çıkar ilişkilerini, girilip çıkılan büyük ihaleleri, satın almaları, sömürü düzenini, parasız çalıştırılan genç arkadaşlarımızı ve en yürekli olması gereken bazı para babalarının nasıl korkak ve iktidar karşısında kâğıttan kaplan olduklarını gördükçe, olaylara tanık oldukça utandık.

Emekliliğine üç ay kalmış 700 liraya çalışan gariban işten çıkarılırken şaşırdık. Ayda 400 milyona çalışan fukara "tasarruf" bahanesiyle kovulunca yüzümüz kızardı. Nicelerinin çaresizliğine tanık olduk.

Özellikle gazeteciler ne olaylar yaşadı, başlarına neler neler geldi!

Bastırdılar, medyada sendikayı yok ettiler! Ortalık dikensiz gül bahçesi oldu. İletişim Fakültelerini bitiren pırıl pırıl gençleri yıllar boyu hem sigortasız, hem de bir kuruş maaş vermeden çalıştırıp köle düzeni kurdular. Basın emekçilerinin tümünü, en deneyimli muhabirleri bile en düşük ücretlerle çalıştırıp ayın sonunu getiremez duruma düşürdüler. Yazmakla bitmez. İtiraz etmek yoktu. Aksi takdirde yanıt aynıydı:

"İşine gelmiyorsa git. Bak, kapıda senden daha düşük maaşla, hatta ücretsiz çalışmaya razı binlerce kişi bekliyor."

Mesleğe en büyük ihanettir: Kıdemli kıdemsiz hemen hemen bütün gazeteci arkadaşlarımızın meslek heyecanını törpülediler, yok ettiler. Medya kuruluşları insanların sadece ve sadece maaş almak için zorunlu çalıştığı yerlere dönüştürüldü. Oysa gazetecilik hevesle, heyecanla yapılması gereken işlerin başında gelir.

Bunları yazarken de bana inanmayanlarınız olabilir. Abarttığımı zannedebilirsiniz. Hangi düzeyde olursa olsun, gazeteci veya medya kuruluşlarında çalışan tanıdıklarınıza sorun. Beni doğrulayacaklardır.

Ben piramitin en tepesindeydim. İyi bir maaş alıyordum. Altımda arabam vardı. Pek çok olanağa sahiptim. Başımı eğip ödün verseydim, hiç kimsenin ruhu bile duymazdı. Fakat direndim. Beni devşiremediler...

Ve bir gece olsun yatağa girdiğim zaman içimde kendime ilişkin bir kuşku, vicdanımı rahatsız edecek bir şey olmadı.

Fakat başkalarına yapılanlardan, sömürü düzeninden hep rahatsızlık duydum ve bunu *Hürriyet*'in içinde ve dışında her yerde, uluorta ve yüksek sesle dile getirdim. Bu sözlerim elbette ki birilerinin kulağına gidiyor ve onlar da benden rahatsızlık duyuyordu. Hiç umurumda değildi.

Bir yanda yüzlerce milyar dolardan, katrilyonlardan oluşan inanılmaz bir çark dönüyor, öbür yanda ise çalışanlara doğrudan veya dolaylı baskı yapılıyor, iktidarı kızdıracak haberlerin belki de yüzde 90'ı, birkaç medya kuruluşu dışında görmezden geliniyor veya çöpe atılıyordu.

AKP, medyanın çok önemli bir bölümünü ele geçirmeyi başardı. Televizyon kanallarına bakın. Büyük çoğunluğu AKP yandaşı ve bu yandaşlar pıtrak gibi çoğalıyor. İktidar, uslu çocuk olmayanların ekranlarını karartmak için büyük çaba harcıyor ve her yolu deniyor.

Gazetelere bakın. AKP'nin yazılı basını oluştu. Özellikle iktidarı destekleyen İslamcı gazeteler başta olmak üzere, çoğu beleş dağıtılıyor. Evet, Türkiye'de her gün bir milyona yakın AKP yandaşı gazete, ülkenin dört bir yanında parasız dağıtılıyor. Yani parayla satılmıyor. Bu parasal yüke Suudi Arabistan, Kuveyt gibi petrol zengini ülkelerin bile bütçesi yetmez. O halde nereden geliyor bu değirmenin suyu? Araştıran var mı? Laiklikten yana (!) olduğunu iddia eden **Doğan Grubu** falan niçin bu işin üzerine gitmiyor?

Yanıtı gayet basit! Çünkü bu dağıtımın önemli bölümünü onlar yapıyor ve bu işten çok büyük paralar kazanılıyor!

Bu kitap 2007 sonlarında yayımlandı. Medya ve gazetecilik açısından bundan sonrasını daha da karanlık görüyorum. Ne yazık ki öyle.

Bazen kendi yaşadıklarımı düşünüyorum ve kafamda yanıtını bulamadığım bir sürü soru oluşuyor:

Basının amiral gemisi *Hürriyet* gerçek ve korkusuz gazetecilik yapsa, gerektiğinde birkaç manşet atsa, Türkiye'nin gündemini değiştirecek ve iktidarı sarsacak güce sahip. Bu kadar korkmanın gereği var mıydı? Bu korkuyu örtbas etmek için koskoca *Hürriyet*'i neden magazine dönüştürdüler?

Doğan Medya Grubu'nun elinde –gazeteleri ve televizyonları ile– sonsuz bir güç var. Niçin onlar iktidardan korkuyordu da, iktidar onlardan korkmuyordu? Güçler niçin böyle tersyüz olmuştu?

Ertuğrul'a hep şunu söylerdim:

"Şu elinizdeki büyük medya gücünün ya farkında değilsiniz ya da iktidardan yanasınız ama bunu söyleyemiyorsunuz. Siz onlardan korkacağınıza, onlar sizden korksun. O gücü bir hissettirin, Tayyip her sabah seni veya **Aydın Doğan**'ı arayıp 'Bana bir emriniz var mı' diye sorar."

Teslim bayrağı niçin böylesine çekilmişti?

Örneğin **Aydın Doğan** medyası bundan sonra ne yapacaktı? Milyarlarca dolarlık iş ve çıkar ilişkilerinden oluşan bu örümcek ağlarından hangi patron nasıl kurtulacaktı? Ya da böyle bir amaçları var mıydı?

Gazetecilik "yan iş" olmuştu. Bundan kurtuluş olacak mıydı?

Niçin sadece *Hürriyet*'te değil, medyanın çok büyük bir bölümünde parasal çıkarlar ve gazetecilik dışı ticaret ilişkileri ön plana çıktı?

Bu terazi bu sıkleti kaldırır mı?

Bu sorulardan birine bile olumlu yanıt veremiyorum. Olumlu yanıt verecek bir gazeteci olduğunu da hiç sanmıyorum. Tabii, eğer o gazetecinin büyük parasal çıkarı yoksa, aklı ve vicdanı satılmamışsa, yağcılık, yalakalık ve emir kulluğu onun beynini ve ruhunu esir almamışsa!

Benim yaşadıklarım, bu olanların bir parçasıydı. Ben de bu kargaşa ve utanç dolu süreçte bir rol sahibi idim!

Belki sadece bir figüran!

İşte o yüzden yaşadıklarımın bir bölümünü yazdım.

Yazdım ki, tarihe bir not daha düşeyim. Hem bugün yaşayanlar yeterince bilinmeyen bazı şeyleri öğrensin, hem de gelecek kuşaklar okusun... Ve AKP döneminde Türk medyasının büyük çoğunluğunun, parasal çıkarlar uğruna teslim bayrağını nasıl çektiğinin hiç değilse bir kesiti bilinsin.

Evet, bir kitabın daha sonuna geldik. Şimdi belki merak eder ve sorarsınız:

"Kovulma sırasında veya sonrasında, 22 yıl hizmet verdiğin *Hürriyet*'in yönetim katından, yani **Aydın Doğan**'dan, *Hürriyet*'in başındaki kızı **Vuslat Doğan Sabancı**'dan ya da **Ertuğrul Özkök**'ten, bu kitabı noktaladığın 2007 yılı Eylül ayı sonuna kadar sana sözlü veya yazılı bir teşekkür geldi mi?"

Gelmedi!

Hoşça kalın efendim.

Emin Çölaşan
Ankara, Eylül 2007

Bu kitapla ilgili görüşleriniz için Emin Çölaşan'a
Bilgi Yayınevi aracılığıyla ulaşabilirsiniz:
ecolasan@bilgiyayinevi.com.tr
faks: (0312) 431 77 58